MIRI A

MIRI A MWYAR AC AMBELL CHWIP DIN

Miriam Llywelyn

Buddugol
Coron
Eisteddfod Talaith a Chadair Powys
1992

Argraffiad cyntaf—1994

ISBN 1 85902 063 1

Dymuna'r cyhoeddwyr gydnabod cymorth
Adrannau'r Cyngor Llyfrau Cymraeg.

Argraffwyd gan
J.D. Lewis a'i Feibion Cyf., Gwasg Gomer, Llandysul, Dyfed

i
Dafydd, Vaughan a Rebeca
gyda
llawer o gariad

DIOLCHIADAU

Hoffwn ddiolch yn arbennig i'r canlynol:

Ceinwen Williams, Bethel am wrando a darllen; Llys Eisteddfod Powys am y croeso annwyl; Y Prifardd Elwyn Roberts, Dr Harri Pritchard Jones a Dr John Rowlands am gefnogaeth i gyhoeddi; Gwasg Gomer am y gwaith glân a manwl; ond yn fwyaf oll, diolch i Mam a Dad am yr aelwyd.

The year's at the spring,
And day's at the morn;
Morning's at seven;
The hill-side's dew-pearled;
The lark's on the wing;
The snail's on the thorn;
God's in His heaven—
All's right with the world!

Robert Browning

14 Rhes yr Orsaf
Porthmadog
Gwynedd
Mai 24 1992

Annwyl Gwenno,

Diolch i ti am y llythyr a'r parsel. Mae'r gardigan yn ffitio i'r dim ac rydw i wedi bwyta'r siocled i gyd!

Does gen i ddim amser i sgwennu llawer rŵan. Mae'r *home help* yn dŵad cyn cinio a dwi isio pacio hwn iddi ei bostio iti. Wedyn fydda i isio neud fy hun yn barod i fynd efo'r Ganolfan. Gesia i lle! Reid ar Trên Bach Stiniog.

Fel y gweli, dwi'n anfon iti'r llyfr amgaeedig. Wyt ti'n ei gofio dywad? Wnes i fwynhau ei ddarllen (fwy nag unwaith). Mae dros ddeugain mlynedd er pan oeddat ti yn *standard three*. Hoffwn ei gadw, ond y ti pia fo. Sgwn i wyt ti'n cofio'r holl betha o hyd? Does gen i ddim co ei weld o ers blynyddoedd, ond doedd ryfadd, dy dad wedi ei gadw'n saff yn ei gist fach ddu efo'r llyfr cas calad coch a chardiau ennill efo'r caneris. Wyddost ti fod yno ambell i baced o hadau hyd yn oed.

Dwi'n gwbod fy mod wedi bod digon styfnig, isio clirio petha dy dad fy hun, yn fy amser fy hun. Mae o wedi cymryd chwe mis imi neud, ac mae o wedi bod yn rhyw fath o therapi. Dwi'n teimlo fod dy dad yma efo fi rywsut.

Gobeithio nad ydi Rhian yn poeni gormod am ei ffeinals yn y coleg 'na. Sylwais ei bod wedi teneuo tipyn pan welais hi Dolig. Deud wrth y peth bach fod Nain yn meddwl amdani.

Edrych ymlaen at eich gweld yr haf 'ma.

Cofion a chariad,
Mam
x x x

Llyfr Storis Gwenno Catrin Lewis

14 Station Terrace

Portmadoc

Caernarvonshire

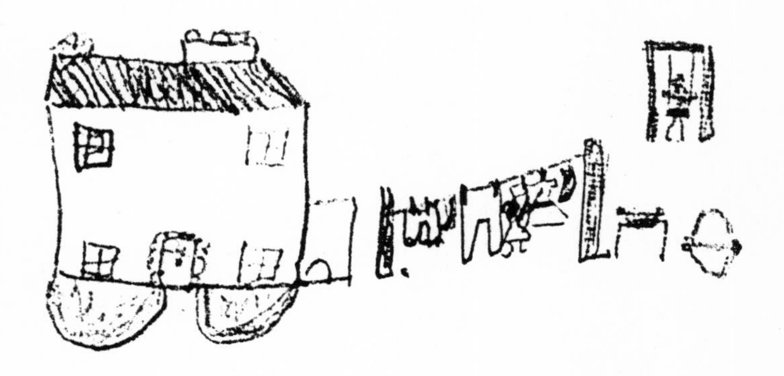

TŶ NI

Ew, mae Anti Janat yn dew. Mae hi'r un lled a'r un hyd.

Mae hi mor dew nes ei bod hi'n gorfod dŵad i mewn i'n tŷ bach ni wysg ei hochr.

Pan fydd hi'n ddiwrnod Anti Janat, fydd Dad yn nôl y sgriwdreifar a dechra'i stwffio fo i ffrâm y drws.

'Be ti'n neud, Robin?' fydd Mam yn gofyn.

'Wel gneud lle i Janat ddod i mewn 'te,' fydd Dad yn atab. Wedyn fydd o'n smalio tynnu'r drws oddi ar ei hinjis.

Mae Anti Janat yn bwyta lot. Bydd Mam yn cuddio hanner y teisenna a hanner y dorth cyn iddi gyrraedd. Ac mae hi fel gwenynen am jam. Fydd hi'n canmol jam cartra Mam ac yn deud,

''Nest ti lot o jam 'leni, Meri?'

Mam ydi Meri. Dyna be ydi'i henw hi ac mae hi ac Anti Janat yn gneitherod. Hefyd bydd Anti Janat isio gwbod ydi'r ieir yn dodwy'n dda.

'Wyt ti'n cael tipyn o wya dyddia 'ma, Robin?'

'Yndw, gan yr ieir.' Fel 'na fydd Dad yn deud bob tro.

Tydi Dad ddim yn y tŷ ryw lawar. Mae'n well ganddo fo fod allan yn yr ardd neu efo'r gwenyn a'r caneris, ac mi fydd yno drwy'r dydd os bydd hi'n ddiwrnod Anti Janat.

Un ffeind fu Mam 'rioed. Bydd hi'n rhoi jam a wya i Anti Janat fynd adra efo hi bob amsar, a dwi'n gwbod y bysa hi'n rhoi'r bwyd iddi hyd yn oed tasa Anti Janat ddim wedi gofyn.

Er bod Anti Janat yn fy sgwasio ac yn fy swsian i'n rhy

amal, fydda i'n medru'i diodda achos mae'i gweld hi'n syndod i mi. Fydda i'n rhyfeddu at yr holl gnawd sydd o'i chwmpas. Mi fydd ei phen ôl yn hongian dros erchwyn y gadair, fel toes Nain yn berwi o'r tun pan fydd hi wedi bod yn siarad rhy hir dros wal efo Miss Parry drws nesa, ac anghofio'i bod ar ganol pobi. Mae'n rhaid fod croen Anti Janat wedi'i neud o'r un defnydd ag maen nhw'n gneud bandijis i fynd rownd faricos feins hen bobol.

Mae hi'n byw yn G'narfon ac mi fydda i wrth fy modd yn gwrando arni'n siarad achos mae hi mor ddoniol. Tydi hi ddim yn siarad fel ni yn Port. Mae hi'n deud 'iarods' am ieir Dad, a galw'r gath yn 'giaman'.

Fydd Anti Janat yn dŵad â presant o Woolworth G'narfon i mi. Hi ddaru ddŵad â'r llyfr sgwennu storis 'ma i mi y diwrnod o'r blaen. Mae o'n well peth o lawar na hen lyfr tena 'rysgol ac mae'r marjin wedi'i neud yn barod.

Ew, dwi'n licio llun yr hogan bach sy'n sgwennu ar y ffrynt. Mae hi'n dlws ac yn ista'n ddel wrth y bwrdd a phot o floda wrth ei hymyl. Fydd raid i mi gael pot o floda fel'na pan fydda i'n sgwennu fy storis.

Mae Anti Janat yn swnian o hyd i mi fynd i aros efo hi, ond dwi ddim isio mynd rŵan. Dwi'n rhy brysur yn chwara, a beth bynnag, fedra i ddim gadael Mam a Dad, na Nain chwaith, achos fysan nhw'n unig hebdda i. A fedra i ddim neud heb Maldwyn drws nesa achos fo ydi fy ffrind gora fi.

Er bod Mam yn perthyn i Anti Janat tydi hi ddim yn

dew. Fydda i'n clywad pobol yn gofyn iddi: 'Sut wyt ti mor dena, Meri, a Janat mor dew?'

Dad fydd yn atab bob tro.

'Wel Janat ddaru fwyta'i bwyd hi i gyd erstalwm pan oeddan nhw'n blant bach.'

Ond tydi Mam ddim yn dena, dena chwaith. 'Dest neis' fydd Dad yn ddeud wrth glymu'i freichia o'i chwmpas a phlannu sws ar ei gwar. Weithia mi fydd o'n gneud hynny pan fydd dwylo Mam yn flawd pestri i gyd neu yn y twb golchi.

Fydd Mam yn deud drefn: 'Wel paid, Robin! Dos, a finna'n brysur.'

Ond dwi'n gwbod mai smalio mae hi, achos mi fydd hi'n gwenu wrth ddeud.

Mae Mam yn brysur trwy'r dydd yn trwsio a neud dillad, cwcio bwyd a llnau. Mae hi'n sgwennu lot i'r *Labour Club* ble mae hi'n mynd ambell i bnawn, ac mi fydd hi'n mynd i'r capal ar ddydd Sul.

Tydi Dad ddim yn mynd i'r *Labour Club* achos mae o'n deud bod 'na ddigon o falu awyr wedi bod amsar rhyfal a does 'na ddim mwy i'w ddeud. A tydi o ddim yn mynd i'r capal chwaith. Mae Dad yn deud bod ei grefydd o rhwng y rhesi tatws a'r nionod.

Cofiwch chi, tydi hyn ddim yn golygu fod Dad yn ddyn drwg. Dest bod o'n rhy brysur i fynd i'r capal. Mae o'n gweithio'n galad efo injans trên mawr er mwyn i Mam a fi gael digon o fwyd a dillad cynnas. Fydd o'n gneud tanau mawr yn yr injans iddyn nhw gael mynd i ben draw'r byd y diwrnod wedyn a fydd o'n gofalu bod 'na ddigon o lo ynddyn nhw ar gyfer eu siwrneiau.

Rydan ni'n byw mewn tŷ pen teras bach rhwng Ochr Cyt a Stesion Port ac mae 'na ardd fawr yn y cefn a rownd y tŷ. Does 'na ddim lot o le i mewn yn y tŷ, ond mae o'n ddigon i Mam a Dad a fi. Mae Mam a Dad yn cysgu yng nghesail ei gilydd yn y llofft ffrynt, ac rydw i'n cysgu efo Tedi Bêr a Doli Glwt Nain yn y llofft bach yn y cefn.

I lawr y grisia mae 'na gegin bob dydd, a phąrlwr ffrynt at Dolig a the partis. Yn y cefn mae 'na lîn-tŵ, tap dŵr a gwtar, a lafatri pry cops.

Mae 'na ddigon o le i chwara o gwmpas: Ochr Cyt lle mae Cwt Pow-Wow criw ni, garej bysys, stesion fawr Port, seidings a'r felin, a chae chwara Cownti Sgŵl. Wrth ymyl yr ysgol mae Ben 'Rynys lle mae croes Iesu Grist wedi'i gneud efo carrag a phawb yn mynd yno i gofio soldiwrs rhyfal unwaith y flwyddyn. Yr ochr draw mae Coed Nyrseri. Fan'no welwch chi'r cariadon yn mynd i siarad cyn priodi.

Os a' i i lawr trwy gefna stryd ni a throi i'r dde ac wedyn i'r chwith wrth ymyl Ysgol Bach, mi fydda i yn nhŷ Nain mewn chwinciad. Rydw i wrth fy modd bod Nain yn byw wrth ymyl, a phetai raid i mi ddianc o gartra ryw dro i dŷ Nain fyswn i'n mynd. Ond tydw i ddim am neud hynny achos dwi'n licio byw efo Dad a Mam.

Rydan ni'n cael mynd i lan y môr Morfa Bychan yn yr haf, ond rhaid dal bws i fynd i fan'no. Ac os ydan ni isio mynd i rwla 'mhellach na Phwllheli mae isio trên, a chofio newid yn Afon-wen.

Ym mhen arall y dre mae'r Cei. Fan'no mae cychod bach pobol Pen Cei ar gyfar hel crancod a sgota mecryll a chychod mwy Pobol Fawr. Wrth ymyl, mae Parc Swings ond fydd Criw Ochr Cyt byth yn mynd yno achos fan'no mae Cwt Pow-Wow Gang Tan Graig. Ew, am griw peryg! Maen nhw'n atacio criw ni fel haid o wenyn.

Yr ochr draw i'r Cei mae Stesion Bach, Cob Mawr a Chob Crwn. Mae'r Cob Mawr yn hir. Ar hyd fan'no roedd Trên Bach Stiniog yn rhedag 'stalwm ac yn cario llechi i'r llonga mawr fynd â nhw i ben draw'r byd medda Nain. Rŵan mae dant y llew, greulan a chynffon ceffyl yn tyfu rhwng y rêls.

Mae Stesion Bach wedi'i chloi, a gwe pry cop a llwch yn eich rhwystro chi rhag gweld trwy'r ffenestri. Tydi'r lle yn dda i ddim medda pobol Port, ond dwi a Maldwyn yn gwbod bod cariadon yn mynd yno i siarad yn y gaeaf, pan mae Coed Nyrseri rhy damp.

Ddaru criw ni gerddad ar hyd y Cob Mawr un gwylia, a mynd â brechdana a Vimto efo ni i neud diwrnod ohoni. Isio mynd dros y wal i weld pentra bach Italians oeddan ni, ond mi gawson ni ein hel adra gan ryw ddyn Saesneg oedd yn gwisgo trwsus dwyn 'fala. Biti, a ninna wedi cerddad cymaint ac wedi medru dringo'r wal.

Ew, fydda i ofn weithia pan mae hi'n storm. Ofn i wal y Cob Mawr falu a boddi pawb a phob dim fel yng ngwlad Clychau Cantre'r Gwaelod. Fysa 'na ddim Port wedyn.

O diar, fysa'n rhaid i mi fynd i fyw at Anti Janat a diodda cael fy sgwasio.

Fysan ni i gyd yn gorfod rhedag nerth ein traed am y Stesion Fawr a dal y trên cynta am G'narfon, a chofio newid yn Afon-wen 'te!

HELPU MAM A DAD

Dydd Llun ydi'r diwrnod casa gen i. Biti am hynny achos mae hi wedi bod yn ddydd Llun trwy'r dydd heddiw ac felly rydw i wedi gorfod diodda tipyn.

Mae'n anodd codi ar fora Llun, a fydd 'na byth ddigon o fara i gael gneud lot o frechdana efo'r becyn ac wy. Fydda i'n licio suddo fy nannadd trwy'r cig cras a blasu'r grawan wrth iddi droi a throsi yn fy ngheg a dwi'n hoffi blas y melynwy a'r sôs coch wedi cymysgu a mynd yn slwts i'r frechdan.

Ddaru hi fwrw glaw heddiw ac mae hynny'n gneud dydd Llun yn waeth o lawar achos mae Mam yn golchi ar fora Llun. Bydd y dillad yn crogi'n damp ym mhob twll a chornel. Mi fydd Dad yn deud ei bod fel londri Wili Tseinî yma. Wn i ddim ble mae fan'no chwaith, ond mae Dad siŵr o fod wedi bod yno. Mae o'n gwbod pob dim.

Dwi'n meddwl y byd o Mam a Dad. Y ddau'r un fath ond well gen i helpu Dad na Mam achos mae gneud gwaith tŷ yn ddiflas. Hen helpu annifyr ydi golchi llestri, ysgwyd matia, llnau grât a llwch yn gneud i chi dagu. Diflas! Diflas!

Well gen i fynd allan i helpu Dad yn yr ardd neu yn y cwt caneris. Ew, dyna i chi le clyd a chynnes! Mae Dad wedi dangos i mi sut i fwydo'r adar bach. Mae'n bwysig gneud yn iawn neu mi fydd yr adar bach yn mynd yn sâl.

Fel hyn ddwedodd Dad: 'Fysat ti ddim yn licio becyn a wy ffres bora fory a chrawan becyn, melynwy wy a sôs coch heddiw wedi c'ledu ar ochr y plât o hyd.'

Ych-a-fi!

Mewn dysgla bach gwydr sy'n crogi ar ochr y cewyll mae'r caneris yn cael eu bwyd. Y tu mewn i'r hada maen nhw'n fwyta. Maen nhw'n gadael y plisgyn ar ôl ac felly mae rhaid chwythu'r hen blisg oddi ar wyneb y bwyd cyn rhoi mwy o fwyd ffres i mewn. Mae'r plisg yn ysgafn ac mi fydd raid i mi fod yn ofalus neu mi fydd yn mynd i fyny fy nhrwyn i ac wedyn mi fydda i'n tisian ac yn dychryn yr adar nes byddan nhw'n fflio'n wyllt i bob man.

Mae 'na ddysgla bach pridd hefyd i neud nythod. Mae Dad wedi dangos i mi sut i osod y ffelt ynddyn nhw i'r ieir caneris ddodwy'u hwya bach i gael cywion. Dyna betha hyll ydi cywion caneris. Maen nhw'n rhyfadd, fel hen bobol, yn llgada i gyd a'u croen wedi crebachu.

Ofnadwy o beth ydi cael eich geni'n hyll.

Mae dau ddrws ar y cwt. Un drws allan cry wedi'i neud o bren a phanel sinc. Tu mewn mae yna ddrws weiar neting. Ar brydia mi fydd hi'n mynd yn boeth iawn yn y cwt ac mi fydd Dad yn gadael y drws pren yn agored. Bob tro y bydda i'n mynd yno bydd Dad yn deud: 'Cofia di gau'r drws neting.'

Rydw i'n gwbod ei bod hi'n bwysig i mi neud, ac mi fydda i'n gofalu ei gau o bob amser ond mi fydd raid i Dad ddeud 'run peth bob tro. Pam mae pobol yn deud 'run peth o hyd tydw i ddim yn gwbod.

Fel yna y bydd Mam hefyd pan fydda i'n helpu yn y tŷ.

'Sycha di'r llestri'n sych. Cadw'r llestri'n iawn, platia bach ar ben platia mawr. Cofia di roi'r caead yn ôl ar y tun polis rhag ofn iddo fo sychu.'

Deud 'run peth o hyd o hyd.

Os ydi plant yn deud 'run peth, swnian ydi o. Mae'n amlwg i mi nad yr un rheolau sydd 'na i bobol ag sydd 'na i blant bach.

Fydda i byth yn helpu Dad efo'r gwenyn. Tydw i ddim yn eu licio nhw wir.

Ond mae Dad wedi arfar. Mae o'n mynd at y gwenyn fel dynas yn mynd i gnebrwn mewn het a fêl ddu. Erstalwm roedd Dad yn gwisgo menig i drin y cnafon ond rŵan fydd o byth yn boddran ac os bydd y gwenyn yn ei boeni fydd o dest yn rhoi slap iddyn nhw nes y byddan nhw'n gelain.

Rydw i'n licio'i wylio fo. Fydda i'n saff yn y cwt caneris, tu ôl i'r drws weiar neting, ac mi fydd Dad yng nghanol y cychod gwenyn yn symud y fframia. Fydd o bob amser yn gneud pob gweithred yn araf ac yn ofalus yn lle aflonyddu ar y gwenyn ond yn sydyn, slap! Swadan iawn i un ar ei war neu ar gefn ei law. Ew, does arno fo ddim ofn a does 'na ddim trugaradd i'r gwenyn os ydyn nhw wedi pigo Dad.

Mae'n braf gweld Dad yn hapus ac yn mwynhau'i hun. Mae o wrth ei fodd yn yr ardd. Fydd o'n stopio gweithio weithia ac yn aildrefnu'i gap ar ei ben. Yna bydd yn pwyso ar ei raw i wrando ar y deryn du'n canu yn y goeden *Bramley Seedlings* ac mi fydda i'n gwbod bod arno fo isio panad.

Mae ganddo fo focs pren du ar y silff y tu ôl i'w gadair yng nghornel y gegin ac yn fan'no y bydd o'n cadw'r llyfr cownt cas calad coch ac yn sgwennu am y plannu, y mêl, costa bwyd y caneris a'r blawd ieir. Pob dim yn mynd i lawr yn y llyfr cas calad coch, yn sgwennu twt Dad.

Dwi ddim yn helpu Dad i sgwennu petha yn y llyfr. Mae o'n medru gneud hynny ei hun. Beth bynnag, fydd gen i ddim amsar rŵan achos fydda i'n rhy brysur yn sgwennu fy storis yn y llyfr hogan bach efo pot bloda.

TRIP YR YSGOL

Mi wnes i hel fy mhres am dri mis i fynd i weld cofeb Hedd Wyn efo'r ysgol ond siom ges i achos doedd 'na ddim Peacocks na Woolworth yn Trawsfynydd.

Efo Mr Ellis Standard Thri rydan ni trwy'r dydd ar wahân i fynd i Standard Tŵ at Miss Jini Owen i ddysgu gweu. Tydi Mr Ellis ddim yn medru gweu. Mae o'n dysgu'r hogia i neud llunia. Neu fydd o'n siarad am ryfal a Hedd Wyn.

Mae Mr Ellis wedi mopio efo Jermans a Hedd Wyn.

Mi fuo Mr Ellis yn y rhyfal yn gwthio wagans trwy'r anialwch. Mae o wedi deud wrthan ni yn Standard Thri sawl gwaith. Mae o'n sôn am Al a Men hefyd, pwy bynnag ydi'r rheini. Ei ffrindia fo yn rhyfal debyg. Mae o wrth ei fodd yn deud wrthan ni mor lwcus ydan ni yn Ysgol Port fod dynion fel fo wedi mynd i ymladd i ni gael byw.

Mae tad Maldwyn, sydd â dim ond un goes achos fod y Jermans wedi cael y llall, yn deud bob tro: 'Yr unig beth wthiodd Ellis Standard Thri yn rhyfal oedd ei fysedd i'w glustia a'r unig beth saethodd o oedd adrenalin brown.'

Sgwn i pwy oedd Adrenalin Brown? Falla'u bod nhw wedi codi cofgolofn iddo fo fel i Hedd Wyn.

I fynd ar y trip roedd pawb wedi gwisgo dillad dydd Sul, a macintosh rhag ofn iddi fwrw. Ond ddaru hi ddim. Ges i ista efo Maldwyn yn y bws, a fuon ni'n chwara *I Spy* a chanu '*She'll be coming round the mountain*'.

Ddaru Maldwyn ddechra canu'r ail bennill am caci nicyrs nes i Mr Ellis sbio'n gas dan ei wìg. Mae pawb yn gwbod nad oes gan Mr Ellis wallt go-iawn achos mae pob blewyn yn yr un lle bob dydd, ar wahân i'r boreau mae o wedi codi'n hwyr ac wedi sodro'r wìg am ei ben tu ôl ymlaen.

Roedd pawb wedi dŵad â brechdana a diod. Ddaru Dad brynu potal o Vimto i mi fel amsar Dolig. Mi wnes i 'i rannu fo efo Maldwyn achos roedd o wedi yfad ei ddiod o i gyd cyn cyrraedd Penrhyndeudraeth, ar ôl canu cymaint.

Ges i fenthyg bag crosio Nain i gario pob dim. Roedd Dilys Felin yn deud ei fod o'n henffasiwn ond roedd pawb arall o'r farn ei fod o'n iawn. Ac mi roedd o hefyd, dipyn smartiach na bag blawd Dilys.

Mewn bag 'Rarmi yr oedd Mr Ellis yn cario'i fwyd, a'i de mewn fflasg arian. Roedd ganddo dorts fawr amsar rhyfal ac roedd o wedi dŵad â helmet soldiwr hefyd i ni i gyd gael ei gwisgo hi a gwbod sut beth oedd o i gerdded efo het haearn ar ein penna.

Wedi cyrraedd, roedd rhaid i ni sefyll am hir i wrando ar wers hanes Hedd Wyn gan Mr Ellis, er ein bod ni wedi clywed yr un peth yn y dosbarth trwy'r wythnos. Yna cerdded yn un falwan hir, fesul dau at y gofeb, a phobol Trawsfynydd yn dod i'w drysa i wylio.

Roedd 'na dramp yn gorwedd wrth y gofeb yn cysgu ond fuo fo ddim yno'n hir. Ddaru Mr Ellis ei ddeffro a deud wrtho fo am shifftio reit handi.

Roedd golwg drist ar Hedd Wyn a baw deryn fel eira ar ei ben o.

'O, yli golwg drist arno fo,' medda fi wrth Maldwyn.

'Fysat titha'n edrych yn drist tasat ti wedi marw yn y rhyfal,' medda Dilys Felin.

'A fysat ti ddim yn chwerthin chwaith tasa adar yn troi clos am dy ben di,' medda Maldwyn cyn cael clustan gan Mr Ellis.

Wedyn dyma ni i gyd yn gorfod canu 'Y bardd trwm dan bridd tramor' fel tasan ni yn y côr Diolchgarwch.

Roeddan ni wedi ysgrifennu'r geiria mewn inc ar y papura yn y Wers Sgwennu Gorau yr wythnos cynt. Ddaru Megan Tŷ Crwn ddechra crio achos roedd ei Vimto hi wedi gollwng yn y bag ac wedi ymuno efo'r inc ar y papur a'i neud o'n biws.

Fel yna mae Megan Tŷ Crwn. Crio am bob dim.

Roedd papura'r geiria yn chwifio yn y gwynt fel baneri wrth i ni ganu, a'r tramp yn ista ar ben wal yn canu efo ni. Roedd o'n gwbod y geiria heb bapur.

Ddaru Mr Ellis ddechra crio a phan oedd o â'i ben i lawr yn gweddïo dyma 'na bwff o wynt mawr yn mynd â hanner y papura a wìg Mr Ellis dros y wal i'r cae.

Ddaru'r tramp ddisgyn o ben y wal wrth chwerthin, a dyma ninna'n dechra cael hwyl. Ond gwylltio ddaru Mr Ellis a'n hel ni i gyd yn ôl i'r bws i fwyta'n brechdana.

Roedd pawb yn ddistaw ac wrth gwrs ddaru Megan Tŷ Crwn ddechra crio eto a swnian 'Isio mynd adra' nes oedd hi'n teimlo'n sâl, a dyma'r dreifar yn rhoi helmet Mr Ellis iddi rhag ofn iddi boitsio'r bws.

Maldwyn oedd yr olaf i ddod i'r bws achos roedd o wedi bod yn ffeind yn neidio dros y wal i chwilio am wìg Mr Ellis. Ond dod yn ôl hebddo fo ddaru Maldwyn.

Wrth fynd adra yn y bws dyma Mr Ellis yn deud bod isio i bawb saliwtio cofeb Hedd Wyn wrth basio, a phwy oedd yn ista ar y steps ond y tramp. A dyma fo'n codi bawd un llaw a phwyntio at y gofeb efo'r llall.

Ac fel roedd pawb yn saliwtio dyma Dilys Felin yn gweiddi: 'Mae gan Hedd Wyn wallt!'

A dyma pawb yn saliwtio eto a gweiddi, 'Hwrê!'

Chwydu Vimto ddaru Megan Tŷ Crwn.

Dest pan mae rhywun wedi cael llond bol ar wersi diflas trwy'r dydd yn 'rysgol, rhaid cychwyn allan wedyn am fwy, a hitha'n amsar prin mynd i chwara.

Bob dydd Iau am hannar awr wedi pedwar dwi'n gorfod mynd i wersi piano i dŷ Madam Lilian Brice-Jones. Dwi'n siŵr fod 'na gyfraith yn rhwla yn deud faint o wersi mae plant bach i fod i ddiodda ar eu lles.

Dynas lydan ydi Madam Lilian ac mae hi'n gwisgo lot o fwclis. Mae ganddi hi gylchoedd ohonyn nhw rownd ei gwddw a'i breichiau, a rhai yn crogi dan ei chlustiau. Hefyd mae ganddi resi o fodrwyau ar ei bysedd. Mae Dad yn deud ei bod fel Coedan Dolig trwy'r flwyddyn.

Mae hi'n glên efo pawb ond ei gŵr. Glywis i mam Dilys Felin yn deud yn siop Gwynfa bod Madam Lilian yn trin y gŵr a'r ci'r un fath.

Welis i hi'n cicio'r ci.

Pan mae Madam Lilian yn dangos i mi sut i neud y noda ar y piano mae 'na sŵn fatha chwara cic tun. A phan mae hi'n sgwennu ar y copis miwsig mae'r mwclis yn crafu ar hyd y papur fel llanw'n mynd allan dros y cregyn a'r graean yn Black Rocks.

Mae hi'n licio bod yn grand, a phob tro mae hi'n cyfarfod rhywun mae hi'n deud yn posh: 'Dwi wedi chwara efo Phil'a'monic.'

Sgwn i pwy oedd Phil a Monic? Ei ffrindia hi pan oedd hi'n hogan bach mae'n siŵr.

Mae hi wrth ei bodd yn defnyddio geiria crand

hefyd ac mae hi'n eu deud nhw fel petai hi'n cnoi'r llythrenna.

'Fortissimo, fortissimo,' ddwedith hi, gan godi'i breichiau i fyny i'r awyr fel y ddynas canu opera ddaeth i weiddi i'r Town Hall flwyddyn dwytha, nes bod ei mwclis hi'n diasbedain wrth daro yn ei gilydd.

Fydda i'n licio chwara piano, weithia, ond mae 'na adega pan dwi'n anhapus am yr holl beth. Fel pan mae perthnasa'n dod i'n tŷ ni a Mam yn deud: 'Dos i chwara piano rŵan iddyn nhw gael clywad sut wyt ti'n dod yn dy flaen.'

Amsar hynny fydda i'n teimlo fel mwnci'n gneud tricia yn y syrcas.

Ac weithia, pan fydda i wedi blino, fydda i ddim isio ymarfer, yn enwedig ar ôl diwrnod calad yn yr ysgol. Bydd Mam yn deud: 'Dos i bractisio rŵan, a dos i bi-pi a nôl hancas cyn mynd.' Ac mi fydd hi'n rhoi'r cloc larwm yn fy llaw i mi wybod pan fydd yr hannar awr ar ben.

A chas beth ydi pan fydd gen i egsam. Mae isio mwy o hen ymarfer amsar hynny. A chas beth casa ydi mynd i egsam annifyr yng nghapal Salem ym Mhwllheli. Maen nhw'n rhoi'r piano yn y capal mawr gwag, oer. Sut maen nhw'n disgwyl i blant bach chwara piano'n iawn mewn ogof fawr bren?

Mae piano'r egsam yn wahanol i'r piano yn y parlwr adra. Mae'r noda'n codi cur yn fy mhen i. Maen nhw fel ceg o ddannadd crocodeil yn syllu arna i. Pan fydda i'n rhoi fy nwylo bach arnyn nhw mi fydd fy mysedd i'n sglefrio ar y noda anghywir. A fydda i byth yn nabod dyn yr egsam. Fydd o'n siarad Saesneg fel tasa ganddo fo wlân cotwm yn ei geg, a fydda i byth yn deall be mae o'n ofyn imi'i neud.

Fydd hi fel gêm gesio.

Wedyn, ar ôl yr egsam, fydda i'n gorfod dod allan i wynebu Madam Lilian fydd wedi bod â'i chlust ar y drws.

Ddaru Dad ddod efo fi tro dwytha, ac fel ro'n i'n dod trwy'r drws ar ôl yr egsam yn wan i gyd dyma Madam Lilian yn dechra holi, a'i mwclis hi'n dawnsio rownd fy ngwynab i.

Ew, roeddwn i'n falch bod Dad yno! Ddaru o afael yn fy llaw a deud wrth Madam Lilian nad oedd angen *post mortem*. Mae Dad yn gwbod geiria crand hefyd.

Wedyn aeth â fi i gaffi i ni gael ffish a tsips a pys slwts i ginio. Dyma Dad yn gofyn i ddynas y caffi be oedd y pysgod.

'Cod ne' hadoc mewn batyr, del,' medda'r ddynas.

A dyma Dad yn deud wrthi ein bod ni'n wan isio bwyd.

''Dan ni dest â llwgu wedi bod mewn egsam,' medda Dad. 'Sgynnoch chi forfil mewn batyr?'

'Nag o's siŵr,' medda'r ddynas a throi'r finag ar hyd y bwrdd wrth rwbio'n rhy galad.

'Reit-o 'ta,' medda Dad, 'gym'rwn ni forfil heb y batyr efo chydig o tsips a pys slwts.'

Dyna chi hwyl. Dest Dad a fi.

Erstalwm yn y gwersi, bydda Madam Lilian yn mynd i'r gegin a 'ngadael i i chwara piano ar 'y mhen fy hun.

Fydda hi'n galw o'r cefn wrth roi dillad ar y lein neu o'r llofft wrth neud y gwlâu:

'Cadwch amsar. Cadwch amsar. Dal dau ar y minim.'

Ac weithia mi fydda hi'n gweiddi ambell i air miwsig crand.

'Rallentando! Rallentando!'

Wnes i feddwl y byswn i'n arbed Mam a Dad wario pres i ddim ac mi ddwedis i wrth Mam nad oeddwn i angen rhagor o wersi achos 'mod i'n ddigon da i chwara piano ar 'y mhen fy hun.

Cafodd Mam air efo Madam Lilian. Mae hi a'i mwclis wrth fy ymyl i trwy'r amsar rŵan. Sgwn i be oedd y gair?

Ffeia i nad oedd o'n un crand!

DIWRNOD GORAU'R WYTHNOS

Wel dydd Sadwrn ydi diwrnod gorau'r wythnos wrth reswm!

Fydda i'n gweiddi 'Hwrê!' ar fora Sadwrn a neidio ar sbrings y gwely nes byddan nhw'n taro'r pô. Dim ysgol, dim capal a dim practis côr na gwersi piano.

Hwrê, hwrê, diwrnod chwara trwy'r dydd a mynd i'r pictiwrs i'r matinî yn y pnawn.

Yn y matinî rydan ni'n gwylio ffilm goibois a sîrial. Sîrial ydi stori wedi'i thorri i fyny fel teisan a'i bwyta fesul darn gan flysu am sbel cyn cael y darn nesa.

Maen nhw'n chwara tric efo sîrial pictiwrs. Maen nhw'n torri'r darn dest pan mae rhywun mewn peryg.

Mae isio dysgu adnod a diodda pump diwrnod o ysgol cyn gwbod be sy'n digwydd. Storis Flash Gordon, coiboi gofod, ydi un sîrial a Dick Tracy, ditectif fatha Gari Tryfan, ydi'r llall ac maen nhw'n mynd i helynt o hyd. Ew, ofnadwy o beth ydi bod mewn penblath am wythnos gyfa.

Mae 'na lot o wahanol goibois—Roy Rogers, Hopalong Cassidy a Tom Mix. Tom Mix oedd hi dydd Sadwrn dwytha.

Coiboi Texas ydi Tom Mix, yn cwffio ryslyrs a Red Indians. Coiboi gofod ydi Flash Gordon yn cwffio Ming ac angenfilod y sêr. Mae Tom Mix yn rhoi sws i'r hogan yn y diwadd bob tro. A Roy Rogers yn rhoi sws i'w geffyl.

Tydi Flash Gordon ddim wedi rhoi sws i neb eto. Ond mae ganddo fo gariad. Dale ydi'i henw hi. Mae hi'n medru gneud pob dim mewn ffrog ddawnsio laes a tydi'i gwallt hi byth yn mynd yn flêr. Mae gwallt Mam yn flawd i gyd pan fydd hi'n cwcio, ac yn damp pan mae hi'n golchi. Tydw i ddim wedi gweld Dale yn gneud gwaith tŷ eto, ond dyna fo, pan neith Flash Gordon roi sws iddi a'i phriodi hi, fydd rhaid iddi aros adra i ofalu am ei phlant bach a llnau tŷ.

A dwi'n gwbod y bysa Mam yn brydferth iawn mewn ffrog laes hefyd achos mae hi'n ddigon tlws hyd yn oed pan mae hi'n ffwdan i gyd yn y gegin.

Mae pawb yn wislo, curo traed a gneud pob matha o sŵn pan ddaw Red Indians neu angenfilod ar y sgrin. Amsar hynny mae Moira Tŷ Ffowndri y Ryshyrét yn rysio rownd i fyny ac i lawr rhwng y rhesi, yn rysio ac yn hysio a siarsio pawb i fod yn ddistaw a byhafio.

Fflash Gandi ydan ni'n ei galw hi. Mae hi wrth ei bodd yn fflashio torts o gwmpas fatha *searchlights* amsar rhyfal ac mae hi'n dena fel y dyn 'na o India sy'n gwisgo ei ddillad gwely.

Tair ceiniog mae plant yn dalu i fynd i'r matinî a dewis ista yn rhwla yn y seti gwaelod. Mi fydd y lle'n llawn dop a phob sêt wan jac wedi mynd. Mi fydd criw ni'n mynd yn fuan i fachu seti canol wrth y polyn. Ew, mi fyddan ni'n cael hwyl!

Waeth i chi heb â mynd i ista i'r tu ôl. Fedrwch chi ddim clapio a wislo yn fan'no. Mae'r ryshyréts yno, ac maen nhw'n gweld fel gwdihŵs. Mae'n hawdd iddyn nhw'ch nabod chi yn y tywyllwch a'ch hel chi allan yng nghanol yr hwyl. A tydi hi ddim yn braf ista yn y tu blaen achos mae 'na ogla fel hen fecryll yn dod o'r *Ladies* a'r *Gentlemen*.

Roedd 'na dipyn o gonji yn y pictiwrs Sadwrn dwytha. Roedd Siani Tyrpac o Gang Tan Graig wedi dod yno heb nicyrs. Roedd y stori wedi mynd rownd y lle fel rocet Flash Gordon ac roedd rhai o'r hogia'n stwffio rhwng y seti er mwyn medru pasio Siani Tyrpac.

Ac fel tasa hynny ddim digon, roedd 'na ormod o Red Indians. Roedd pawb yn wislo am hir a dyma hogia Tan Graig yn dechra stampio'u traed. Ryffians a rafins ydi hogia Tan Graig. Tydi'u mama nhw ddim yn mynd â nhw i'r capal ac maen nhw'n cnoi a chwara cic tun trwy'r dydd. Nhw sy'n gyfrifol am roi *chewing gum* ar seti'r pictiwrs.

Ddaru nhw ddim stopio gneud sŵn er bod Fflash Gandi a dwy ryshyrét arall yn fflasio tortsys a gweiddi 'ust', 'tewch' a 'caewch 'ych cega!'

Ew, dyma Tom Mix a'r Red Indians yn diflannu i'r nos wrth i'r sgrin fynd yn dywyll. Wedyn dyma lampa'r ochr yn goleuo a Mr Primly y Manijar yn dringo ar y llwyfan siarad Saesneg neis fatha dyn deud *'This is the six o'clock news'* ar y weiarles.

Sais ydi Mr Primly. Mae o'n gwisgo dillad pengwin ac yn rhoi saim ar ei wallt.

'*We will not continue the programme until there is silence,'* medda fo.

Ac mi fu pawb yn ddistaw wedyn. Roedd y lle fatha capal pan mae pawb newydd gael Swper Olaf Bach.

Tydi hogia Tan Graig ddim yn cael dŵad i'r pictiwrs eto am fis meddan nhw. Ac mi ddaru Siani Tyrpac fynd adra efo *chewing gum* ar ei phen ôl.

'Gwd ridans tw bad Indians,' medda criw ni.

NAIN A TAID

Pan fydd rhywbeth o'i le yn tŷ ni, i dŷ Nain y bydda i'n mynd i fyw. Ac mae 'na rwbath mawr wedi bod o'i le'r wythnos yma.

Tydi Mam ddim adra.

Mae Anti Janat yn sâl yn G'narfon ac mae Mam wedi

gorfod mynd i aros efo hi am ychydig o ddyddia nes bydd hi'n well. Fydda i'n teimlo reit ryfadd heb Mam. Mi fydd Dad yn rhyfadd hefyd, yn ista'n ddistaw yn deud dim byd.

Tydi tŷ ni ddim 'run fath heb Mam yn y gegin. Does yna ddim ogla cwcio. Does 'na ddim *Housewife's Choice* ar y weiarles yn y bora a does 'na ddim cnoc y fflat smwddio yn taro'n erbyn y bwrdd.

Does 'na neb yn medru plethu fy ngwallt i fel Mam. A gyda'r nos does 'na neb i ista efo fi i ddeud fy mhadar.

Ond mi fydda i'n iawn wythnos nesa achos mi ddaw Mam adra dydd Gwenar.

Er na tydw i ddim yn hapus fod Mam ddim adra fydda i'n mwynhau fy hun yn nhŷ Nain ac yn cael cysgu yn y gwely plu yn y llofft sbâr.

Mae Taid yn byw yn nhŷ Nain hefyd, ac felly am bod Nain yn gorfod cysgu efo fo, fydda i'n cael y gwely plu i gyd i mi fy hun, ond weithia yn y bora pan fydd Taid ar shifft gynnar mi ddaw Nain i'r gwely ata i. Fydda i'n gorfod gafael yn dynn yn y pen pres pan fydd Nain yn gosod ei hun yn y gwely plu achos mae hi'n dew ac yn drwm a bydd ochr y gwely'n cyffwrdd y llawr bron. Wedyn fydda i'n rowlio i'r nyth yn ei hochor.

Ar ôl i Nain smalio cysgu a gneud sŵn wislo rhwng y chwyrnu mi fydda i'n gwbod be mae hi'n mynd i ofyn.

''Tisio stori, Gwenno Catrin?'

'Oes, Nain.'

Mae hi'n gwbod pa un ydi fy ffefryn, ond mi fydd hi'n gofyn 'run fath.

'Pa stori wyt ti isio, pwt bach?'

'Wel stori *Red Riding Hood* siŵr iawn,' fydda inna'n atab.

Dwi'n gwbod y stori ond fydda i byth yn blino clywad Nain yn deud yr hanas. Mae hi'n un dda am ddynwared *Red Riding Hood* mewn llais sidan hogan bach. Weithia ar ddiwadd y stori, mi fyddan ni'n cael actio a bydd Nain yn gadael i mi fod yn *Red Riding Hood* yn holi'r blaidd.

Fydda i'n cnocio'r cwpwrdd bach sydd wrth ochor y gwely yn dal y pô a smalio mai fi ydi *Red Riding Hood* yn cnocio drws y tŷ bach yn y coed. Wedyn mi fydd Nain yn tynnu'i dannadd a deud mewn llais main, 'Ty'd i mewn.'

Yna, mi fydda i'n gofyn, 'Ew Mistar Blaidd, pam 'dach chi isio ceg fawr?' Ac mi fydd Nain yn aildrefnu'i dannadd fel eu bod nhw'n crogi dros ei gwefusau fel dannadd barus yn barod i frathu ac yn gweiddi dros y llofft:

'I dy fyta di, siŵr iawn!'

Ew, fydda i bron yn sâl, ond wedyn mi fyddan ni'n chwerthin a sgrechian nes bydd y plu fel jeli dan y gorchudd.

Weithia, os bydd Taid o gwmpas yn y bora rhwng shifftiau, mi fydd o'n dŵad â phanad o de i ni yn y gwely. Fydd o'n cnocio'r drws a deud, 'Be ydi'r holl sŵn yn y llofft 'ma?'

Ac mi fydda i'n cuddio dan y dillad ac mi fydd Nain yn gofyn i Taid,

'Ydach chi wedi gweld Gwenno Catrin yn rhwla? Mae arna i ofn ei bod hi wedi dianc adra.'

'Na,' fydd Taid yn ddeud, 'welis i hi'n mynd i lawr am yr harbwr. Mae hi wedi hwylio yn y *Florence Cooke* am yr America i fyw efo Tom Mix.'

Wedyn mi fydda i'n dŵad o grombil y gwely a gweiddi, 'Wel nagdw siŵr!'

Mae Taid yn ffeind hefyd ond tydw i ddim yn ei weld o mor amal â Nain achos mae o'n dreifio injans trên i ben draw'r byd. Mae o'n mynd yn bellach na'r Bermo.

Mae gan Taid focs sbesial am ei fod o'n ddreifar. Fel cist fach wedi'i gneud o dun a'r top yn grwn a handlan bres ar y caead. Tu mewn i'r caead mae yna boced bach handi i roi papura pwysig sydd i neud efo dreifio trên.

Yng ngwaelod y bocs mae celfi trwsio trên a fflasgia gejis dŵr. Yn yr injan mae gejis bach gwydr yn deud faint o ddŵr sydd yn yr injan. Mae isio lot o ddŵr i neud stêm i'r injan symud, yn enwedig os ydi Taid isio mynd efo sgyrsion i Lerpwl neu Blackpool. Weithia mae'r fflasgia'n chwythu'n racs jibidêrs. Dyna pam mae Taid yn gofalu cario rhai sbâr efo fo.

Wedyn yn y bocs bydd Taid yn rhoi potelaid bach o lefrith, bocs bach â chaead bob pen sy'n cario siwgr un ochr a the yr ochr arall, tamaid o deisan a brechdana.

Weithia os bydd ganddo fo frechdan ar ôl mi fydda i'n cael ei bwyta hi. Fel hyn fydd Taid yn ddeud, 'Wyt ti isio brechdan gan Taid heddiw?'

Mi fydda i isio un bob amser.

'Dyma chdi. Brechdan gig wedi bod am drip i Bermo.'

Ac mi fydd hi'n dda. Fydd blas y cig wedi mwydo i mewn i'r menyn a'r toes. Wedyn mi fydd Taid yn tynnu'i gap dreifar, crafu'i ben ac ista i ddarllan y *Daily Herald* cyn cael ei ginio.

Fydd gan Nain botas ar y stôf bob amsar erbyn i Taid ddod adra a bydd yno ddigon i mi hefyd. Mae o'r potas gora yn y byd achos mae yna llgada ynddo fo. Pan fydda i'n bwyta'r potas fydda i'n sgota am y llgada ond maen nhw bob amser yn llithro oddi ar y llwy a nofio fel jeli ffish yn y jiws. Os bydd gan Nain grystyn ffres mi fydd yn ei roi i mi ac mi fydda i'n sgota efo'r crystyn yn lle'r llwy ac yn sipian y llgada'n slwts.

Llysia o ardd Taid fydd yn y potas. Mae Taid, fel Dad, yn licio garddio. Mae ganddo fo ardd yng nghefn y tŷ ac un arall ar ochr y relwê. Mi fydd o'n tyfu pys a ffa dringo yng nghefn y tŷ ac mi fydd yna rwydi a pholion a phob math o betha i ddal y llysia i fyny. Mi fydd 'na andros o le os bydda i a 'nghneitherod wedi chwara rhwng y pricia pys a'u sigo nhw.

Un diwrnod ddaru fy nghneitherod chwara cuddiad yn y pricia nes oeddan nhw'n disgyn yn fflat fel dominos. Ew, roeddan nhw wedi dychryn a ddaru nhw redag adra trwy gefna Chapel Street heb ddeud ta-ta a ddaru nhw ddim twllu tŷ Nain am fis wedyn rhag ofn cael cerydd. Ond fuodd pob dim yn iawn achos welodd Taid nhw yn y stesion pan oeddan nhw ar eu ffordd i Bwllheli i weld eu modryb. Fo oedd yn dreifio'r injan 'dach chi'n gweld. Ddaru o roi hannar coron bob un i'r genethod fynd i siopio i Peacocks.

Chwara teg i Taid, tydi o ddim yn ddyn cas, dest gofalus. Ac mae hynna'n gneud sens achos pan ydach chi'n dreifio trên a lot o bobol yn ista ynddi mae'n rhaid i chi fod yn ofalus yn rhaid?

SÂL

Ar Lynwen Frazer ac Emlyn Parc roedd y bai i mi fod yn sâl. Mae Lynwen Frazer yn Girl Geid. Cha' i ddim bod yn un, na hyd yn oed yn Browni. Mae Mam yn deud na tydi capal Methodist a Girl Geids ddim yn mynd efo'i gilydd. Neith hi ddim deud pam chwaith.

Ddaru Dad ofyn i Mam fysa fo'n iawn i mi fynd yn Boi Sgowt 'ta, ond gneud gwynab 'Paid â rwdlian' ddaru Mam a sgowlio.

'Paid â gyrru cwch i dŵr, Robin,' medda hi.

Welis i Lynwen un noson wythnos dwytha. Ar y ffordd i'r stesion roeddwn i. Roedd Dad ar shifft hwyr yn llnau tanau, ac ro'n i'n mynd â'i swpar o i lawr i'r cabin iddo fo. Cwt bach fel y cwt claddu yn y fynwant ydi'r cabin ac yno mae'r dynion gweithio trêns yn cael panad o de a mynd i nôl eu pres am weithio'n galad. Mae 'na gypyrdda bach fel tylla colomennod y tu ôl i'r drws i bawb gadw'u bocsys bwyd yn ddel, a bwrdd yng nghanol y llawr a meincia rownd y walia fel yn y festri.

I gyrraedd y cabin mae'n rhaid cerddad ar hyd y platfform heibio i offis y *Stesion Master*, siop bach prynu ticad, a stafell aros am y trêns pan fydd hi'n oer ac wedyn heibio i'r Railway Inn lle mae pobol wirion yn yfad cwrw. Am swnllyd ydyn nhw. Maen nhw'n gneud i mi feddwl am wydda Llyn Bach.

Tydi Dad na Mam ddim yn mynd i'r ffasiwn le. Mae Mam yn deud fod plant bach yn diodda pan mae pobol yn yfad. Yn nhŷ Nain mae 'na lot o lyfra *Cymru'r Plant* a llunia plant bach yn crio y tu allan i dai tafarna yn Llundain ynddyn nhw. Does 'na ddim plant bach yn crio yn stesion Port ond mae 'na lot o chwerthin ac ogla smôcs yn dod trwy ddrws y Railway Inn.

Newydd basio fan'no ro'n i, ac yn mynd dan y bont ac i lawr i lle mae'r platfform yn gorffan pan welis i Lynwen Frazer yn mynd am y Cwt Geids dros y bont. Roedd ganddi fathodynnau o bob lliw ar ei hysgwydd a chap nefi blŵ bach del wedi'i osod ar ochr ei phen. Ew, roedd hi'n smart, ond wnes i ddim deud wrthi chwaith, achos hen hogan ddiflas ydi hi. Mae'i thad hi'n gweithio yn y banc, a dest am nad ydi o'n gwisgo ofarôls mae Lynwen yn meddwl ei bod hi'n well na fi.

'Pam wyt ti'n mynd i'r hen stesion fudr 'na?' gofynnodd.

A phan ddwedis i wrthi mai mynd â bwyd i Dad ro'n i, dyma hi'n deud bod ei thad hi'n cael ei ginio yn y Commercial Hotel.

'Dwi'n mynd i Girl Geids,' medda hi wrthaf fi wedyn.

'O mae'n siŵr y bydda i'n joinio wsnos nesa,' medda finna.

'Does 'na ddim lle i neb arall,' medda hi, 'a beth bynnag fedar dy fam di ddim fforddio prynu iwnifform.'

'Hen le diflas ydi Geids eniwê,' medda fi wrthi.

'Naci wir,' gwaeddodd Lynwen. 'Dwi'n neud prawf bathodyn clyma wsnos nesa a'r wsnos wedyn dwi'n cwcio.'

'Ty'd efo fi i chdi gael gweld injans go-iawn,' medda fi.

'Na,' medda hi, 'hen le budr ydi'r stesion a beth bynnag mae *Brown Owl* yn aros amdana i.'

'Dos at dy hen gwdihŵ wirion 'ta,' medda finna, a rhedag ffwl sbîd am y platfform.

Weithia fydd Dad ddim yn y cabin ac amsar hynny mi fydda i'n gorfod mynd ymhellach i'r sied fawr. Fan'no mae'r injans. Mae o'n adeilad ofnadwy o fawr. Yn fwy na Chapal Tabernacl ac yn fwy na'r Town Hall.

Pan ydach chi'n mynd ar y trên mae'r injan yn fawr, ond os cerddwch chi heibio iddyn nhw yn y sied maen nhw'n anfarth. Tydw i ddim yn cyrraedd top yr olwynion hyd yn oed.

Mae hi'n ofnadwy o dywyll y tu mewn i'r sied fawr, bron fel bol buwch, ac mi fydda i'n gorfod gweiddi am Dad. Daw ynta i'r golwg dan alw'r un peth bob tro: 'Aros di'n fan'na. Ddo' i lawr rŵan.'

Weithia mi fydd ei wyneb o mor ddu nes na fedra i 'mond gweld ei lygaid a'i ddannadd o yn yr hannar gola, fel llun y dyn du yn stori Caban F'ewythr Twm.

Un tro mi wnes i alw am Dad a dyma 'na lais newydd yn deud, 'Dos o 'ma'r sglyfath.'

Ew, mi ddychrynis i. Hen dramp oedd 'na. 'Sgin ti grystyn?' medda fo wedyn cyn gweiddi eto, 'Dos o 'ma'r sglyfath.'

Mi wnes i redag i ffwrdd a gadael bwyd Dad ar y bwrdd yn y cabin.

Chwerthin ddaru Dad a deud mae'n siŵr mai Wil

Puw tramp oedd yno wedi cael hyd i le cynnas. Yn y *Gas Works* y bydd o'n cysgu fel arfar ar ben y *cokes*.

Bora ddoe, pan es i i lawr yn fora fora efo Maldwyn, roedd Taid yn un o'r injans.

'Be ti isio'n fan'ma?' medda fo.

'Wedi dŵad â bwyd Dad ond fedran ni ddim cael hyd iddo fo.'

'Wedi mynd i lawr y lein i'r warws,' medda Taid.

A dyma fi'n gofyn i Taid oedd o'n mynd i'r Bermo.

'Ddim rŵan,' medda fo. 'Rhaid i mi gynna tân yn yr injan gynta.'

A dyma Maldwyn yn codi'i glustia. 'Gawn ni weld be 'dach chi'n neud 'ta?'

Aeth Taid i nôl tri bocs bach wedi'u gneud efo pricia tân a rhoi lot o wâst ac oel arno fo yn y bocsys. Bwndal o eda wedi'i gymysgu nes mae o'n rwts-mi-rats i gyd ydi wâst. Mae Taid yn deud ei fod o'n dŵad o ffactri yn Lloegar lle maen nhw'n neud defnydd cotwm i Mam wnïo yn ffrog haf i mi.

Dyma Taid yn gosod y tanwydd yn y bocs tân, eu goleuo nhw a gadael iddyn nhw gynna efo tipyn o lo. Mewn ychydig wedyn dyma fo'n agor y drws a gwasgaru'r tân ar hyd gwaelod y bocs a rhoi mwy o lo arno fo.

'Welsoch chi neb yn cynna tân yn yr injans o'r blaen yn naddo?' medda Taid.

'Wel naddo,' medda Maldwyn. 'Be 'dach chi'n neud rŵan 'ta?'

'Dwi isio shyntio i'r seidings,' medda Taid. 'Biti'ch

bod chi isio mynd i'r ysgol neu fysach chi'n cael dod efo fi.'

'Dwi ddim isio mynd i'r ysgol neno'r nef,' medda Maldwyn a thynnu gwynab.

'Well i chi fynd,' medda Taid wrth dynnu'i wats allan o boced ei wasgod. 'Ew, mae hi bron ar naw. Traed dani rŵan neu mi fydd Prydderch y Sgŵl yn disgwyl amdanoch chi yn y drws efo'i gansan.'

A ffwrdd â ni fel fflamia i lawr East Avenue ac roeddan ni'n clywad Jini Owen Standard Tŵ yn chwythu'i phib nerth esgyrn ei phen wrth i ni droi am gefna Chapel Street.

Wedi i ni gyrraedd roedd y gwasanaeth boreol wedi dechra ac roedd rhaid i ni sefyll wrth ddrws Standard Wan efo'r plant bach, ac aros nes bod Mr Prydderch wedi deud gras ar y diwedd.

'Dyma nhw'r plant hwyr, Mr Prydderch,' medda Miss Jini Owen wrth agor y drws i ni.

'*Come here, you two nuisances*,' medda Mr Prydderch. Yn Saesneg y bydd o'n siarad pan fydd o'n deud y drefn. A phwy oedd yn sefyll wrth ei ymyl ond Lynwen Frazer. Roedd hi'n gwisgo'i ffrog Geids achos roedd hi'n mynd i rwla efo'r trŵps yn y pnawn.

Cerydd gafodd Maldwyn a fi a '*last warning*' a '*Stand over there for everybody to see you*.'

Canmoliaeth am ennill ei hen fathodyn clyma gafodd Lynwen, ac roeddwn i'n ei gweld yn gwenu'n slei a'i thrwyn hi fwy yn yr awyr nag arfer.

Fuo hi am hir amsar chwara yn dangos sut i neud clyma efo'r rhaff sgipio a deud ei hanas yn cynna tân heb fatsys, ac roedd hi'n dal i ganmol ei hun yn y dosbarth wedyn achos roedd Mr Ellis wedi mynd i roi help i Jini Owen Standard Tŵ i symud y cwpwrdd gwnïo. Mi ddywedodd Lynwen fod Girl Geids yn ddewr a bod ganddyn nhw lot o gyts i neud petha fel campio yn y glaw a mynd allan yn y coed.

'Hy,' medda Maldwyn, 'mae Gwenno'n fwy dewr na chdi. Mae hi'n mynd i lawr i stesion dywyll yn y nos heibio i bobol wedi meddwi.'

'Îsi pîsi,' medda Lynwen. 'Fysa gen i ddim ofn mynd yno chwaith.'

'Chei di ddim,' medda fi wrthi, 'achos tydi dy dad ti ddim yn gweithio efo trêns.'

'Fyswn i ddim isio eniwê,' medda hi. 'Mae Girl Geids yn gneud petha mwy peryg o lawar na hynny.'

'Yli,' medda Emlyn Parc, 'os wyt ti mor ddewr â hynny, yfa'r inc yn y pot inc yma i ni gael gwbod pa mor ddewr wyt ti.'

Crio ddaru hi, a phawb yn gweiddi 'Lynwen Babi Girl Geid' a finna'n deud bod mwy o gyts yn gennod Cyfarfod y Plant.

'Ty'd i ni weld 'ta,' medda Emlyn Parc. 'Ty'd, yfa'r inc 'ma.'

A dyma fi'n gneud.

Ac mi oedd pawb wedi gweld fy gyts i cyn amsar te. Yn bwdin reis glas ar hyd y dosbarth.

Mi gefais aros adra o'r ysgol heddiw gan Mam. Efalla, os bydda i'n lwcus, y medra i ddal allan tan dydd Gwenar imi gael tipyn o wylia.

Mae Dad yn deud taswn i ddim wedi bod yn sâl mi

fyswn i wedi cael cweir am yfad ffasiwn beth. Dwn i ddim be ydi'r peth casa, chwip din ynta bod yn sâl fel ci. Mi fydd 'y mhen ôl i'n brifo ar ôl chwip din ac mae 'mol i'n dost ar ôl chwydu.

Fedra i ddim ennill, weithia.

TŶ BACH

Mae garej bysys Crosville wrth ymyl tŷ ni. Yn fan'no maen nhw'n cael eu llnau a'u golchi. Weithia mi fydd yna lawar o dicedi yn y bocs wrth y drws ac mi fyddan ni'n chwara bysys.

Well gen i dybl decar na bysys bach achos mi fyddan ni'n medru chwara tŷ bach a bydd gynnon ni gegin a pharlwr i lawr a llofft ar y top.

Daeth Megan Tŷ Crwn ac Emlyn Parc i chwara tŷ bach efo Maldwyn a fi y diwrnod o'r blaen. Fi oedd y fam, Maldwyn oedd y tad a Megan ac Emlyn oedd y plant bach. Roedd Megan yn un dda, achos mae hi'n crio fatha babi beth bynnag.

Roeddwn i'n hapus yn chwara tŷ bach, ond tydw i ddim yn hapus rŵan. Mae gen i gur pen ar ôl i Mam ddeud y drefn wrthaf fi.

Ar Lynwen Frazer roedd y bai 'mod i wedi cael row. Daeth i mewn i'r dybl decar i fusnesu efo'n gêm ni. Ddaru hi ddeud mai hen dŷ bach sâl oedd gynnon ni, achos doedd 'na ddim byd ynddo fo.

A dyma Maldwyn yn deud ein bod ni ar fin gneud y lle go-iawn. A dyma fo'n mynd adra i nôl antimacasars o barlwr ei fam. Pan ddaeth o'n ôl roedd o hefyd wedi dod â'r cyllyll a'r ffyrcs byta pysgod efo handlans cyrn eliffant a gafodd ei fam a'i dad yn bresant priodas gan rywun o India, a llestri picnic sydd ddim yn torri wrth i chi eu hysgwyd nhw yn y bag mynd i lan y môr.

Roedd Mam wedi mynd i'r *Labour Club* i falu awyr a Dad ar shifft pnawn, felly roedd y lle'n glir i mi fenthyg clustoga melfat o'r parlwr. Cafodd Megan Tŷ Crwn eiderdown ei nain o'r llofft sbâr.

Rasal ei dad ddaru Emlyn Parc ddod, er mwyn i Maldwyn gael siafio fel tad go-iawn.

Ddwedodd Lynwen Frazer ddim byd pan welodd hi'n tŷ bach crand ni, dest sefyll â'i cheg yn 'gorad a mynd adra i bwdu.

A wyddoch chi be, roeddan ni'n mwynhau'n hunain gymaint yn rhoi pawb yn eu gwlâu dan yr eiderdown yn y llofft fel na ddaru ni ddim clywad y dreifar yn dod at y bws. Teimlo'r bws yn ysgwyd ddaru ni wrth i'r injan gychwyn.

Ddaru Maldwyn hel y cyllyll a'r ffyrcs yn ei gôt a neidio i ffwrdd fel roedd y bws yn cychwyn, ac Emlyn a Megan Tŷ Crwn y tu ôl iddo fo efo'r eiderdown a'r llestri. Aros yn y llofft i luchio clustoga Mam trwy'r ffenast wnes i, a phan ddois i i lawr y grisia roedd y bws yn symud yn rhy gyflym i mi neidio, a Maldwyn yn rhedag tu ôl yn gweiddi, 'Antimacasars! Antimacasars!'

Dyma fi'n ôl i fyny'r grisia at yr antimacasars a chael brên wêf. Y peth gora i' neud oedd ista'n llonydd a mynd i lawr o'r bws yn y stop nesa. Ond ddaru'r bws ddim stopio nes cyrraedd garej C'narfon.

Ro'n i'n iawn ar y bws. Roedd hi fel mynd am drip Ysgol Sul ond bod 'na ddim canu '*She'll be coming round the mountain*', ond doeddwn i ddim yn nabod neb yng Ngh'narfon ond Anti Janat a welis i mohoni beth bynnag. Roeddwn i isio pi-pi a dyma fi'n dechra crio a dyma'r ddynas yn yr offis bysys yn mynd â fi at y polîs.

Wn i ddim yn iawn pam roeddwn i'n crio chwaith. Ofn i Mam feddwl bod rhywun drwg wedi dwyn ei hogan bach hi mae'n siŵr.

Roeddan nhw'n ffeind iawn yn y Polîs Stesion. Ges i fynd i'r lafatri a hwnnw'r tu mewn, dan do, a sinc bach del yn y gornal i olchi dwylo, a dim pry cops. Wedyn ges i lond bol o frechdana ham a diod o de o fŵg mawr y sarjiant.

Ar ôl y bwyd aeth dynas polîs â fi am drip rownd y lle a ges i weld y dynjyns lle maen nhw'n rhoi pobol ddrwg. Tydyn nhw ddim yn defnyddio dynjyns castall dros ffordd ddim mwy achos does 'na ddim drysa ar y lle a thebyg y bydda'r bobol ddrwg yn dianc trwy'r tylla fatha stori '*The Count of Monty Cristo*'.

Ges i reid yr holl ffordd adra yng nghar cnebrwn y polîs ond tydw i ddim yn cofio llawar am hynny achos mi gysgis ar y sêt tu ôl yng nghanol yr antimacasars.

Ew, biti fod Maldwyn wedi neidio oddi ar y dybl decar. Dwi'n gwbod y bysa fo wedi mwynhau'i hun yn y Polîs Stesion. Roedd pawb mor glên. Ew, roeddan nhw'n glên!

Ond doedd Mam ddim.

Ges i andros o row am fynd i beryg ond roedd o'n werth o, achos ges i lot o dda-da gan y plant yn yr ysgol. Roeddan nhw isio gwbod am y trip dybl decar a dynjyns y polîs yn doeddan!

A wyddoch chi be, roedd hi dipyn gwell stori na hanas Lynwen Frazer yn campio a gneud clyma diflas.

MYND I'R CAPAL

O diar, mae'n ddigon mynd i'r capal ddwywaith ar y Sul heb sôn am orfod mynd i oedfa'r nos hefyd.

Fydda i'n mynd i'r Ysgol Sul bob Sul ac i'r capal yn y bora i ddeud adnod yn y Sêt Fawr. Mae hynny'n fwy na digon i hogan bach wir. Ond roedd raid i mi fynd i'r oedfa nos Sul dwytha achos roedd Mr Huws y Gwnidog yn pregethu ac roedd 'na Gymun hefyd.

Gwin a bara ydi Cymun. Swper Ola Bach fydda i'n ei alw fo achos mae o fel picnic bach yn y capal. Fydda i ddim yn cael Cymun. Dwi'n rhy fach. Ond sdim ots gen i achos mae pawb sy'n cael Cymun yn gorfod rhoi pres mewn enfilop bach, a does gen i ddim llawar o arian beth bynnag.

Mae'n siŵr fod y gwin yn ddrud.

Fydda i ddim yn licio mynd i oedfa'r nos achos mae o'n ddiflas. Mae Huws y Gwnidog yn siarad a gweiddi gormod, ac mi fydd Mam yn sbio'n gas arna i am fy mod i'n gwingo. Meddwl bydda i am Dad adra ar ei ben ei hun heb neb i chwara draffts efo fo.

Ond roedd y sefyllfa'n o lew nos Sul. Ges i fynd i ista

i'r galeri efo Nain. Mae o'n grêt yn y galeri achos rydw i'n medru gorwedd yn ôl yn y sêt, a does neb yn gweld be fydda i'n neud. Fydda i'n medru anghofio am Huws y Gwnidog a 'studio'r bloda yn y to a gneud storis yn fy meddwl am Tarzan yn siglo o un weiran lectric i'r llall.

Sgwn i sut ddaru pwy bynnag fedru cerfio bloda ar y sîlin? Mae'n debyg eu bod nhw wedi gorfod sefyll â'u penna i lawr neu siglo ar y weiran gola fel Tarzan.

Os stedda i i fyny a rhoi 'nhrwyn ar gefn y sêt o 'mlaen, mi fedra i weld y blaenoriaid yn y Sêt Fawr. Fysach chi'n dychryn tasach chi'n gweld be maen nhw'n neud. Fydd Ifan Morris torri gwallt yn trin ei winadd efo siswrn ac amball un yn carthu'i drwyn. Pan mae hi'n amser gweddïo mae'r blaenoriad yn cael troi a phlygu ar lawr wrth eu sêt. Fydd Ifan Jâms Felin yn crio a fydd tad Lynwen Frazer yn cysgu. Wedi blino cyfri pres y banc mae'n siŵr.

Mi fydda i hefyd yn medru gweld Owi Wirion yn ista yn y sêt groes wrth y drws sy'n mynd i'r cyntedd. Mae o'n gofalu bod y drws wedi'i gau ar ôl i bawb ddod i mewn a fo fydd yn ei agor i bawb fynd allan ar ddiwadd yr oedfa.

Wn i ddim pam mae o'n cael ei alw'n wirion, wir, achos dwi wedi gweld lot o bobol wirionach nag Owi, fel dynion wedi meddwi'n dod o'r tai tafarna, a gweinidogion â wynebau coch yn gweiddi yn y pwlpud amser sasiwn.

Mae Owi Wirion yn byw efo'i fam yng nghefna Stryd Fawr ac mae pawb yn ei nabod o. Mae o'n medru chwerthin a chael hwyl, yn enwedig efo ni criw Ochr

Cyt, ond dwi wedi'i weld o'n crio hefyd. Fel yr amsar pan fuo Job, ei gi bach o, farw.

Ddaru Owi neud bocs pren efo darn o hen wardrob a rhoi Job ynddo fo a'i gladdu yng nghornel y fynwant wrth y tap.

Roedd 'na rai pobol yn flin amsar hynny ac yn deud nad oedd o'n iawn i Owi gladdu'i gi bach efo pobol. Ond ddaru Mr Huws Gwnidog ddeud ei fod o'n O.K. Ac roedd o'n iawn hefyd achos fysa 'na ddim lle i gladdu arch fawr yn y gornel.

Mae Owi'n ffrindia efo ni'r plant ac mae o'n dŵad i Gyfarfod y Plant ac i'r matinî efo ni weithia. Mae'n siŵr y bysa fo fwy efo pobol tasa fo'n gweithio ond does gan Owi ddim joban talu-bob-wsnos, dest jobsys bach i helpu pawb er mwyn iddo fo gael pres pocad.

Yr unig beth fydd yn fy ngneud i'n hapus yn y capal ar wahân i fod efo Nain yn y galeri ydi gweld Seilas Wilias yn dod i'w sêt. Ganddo fo mae'r coesa hira rydw i wedi'u gweld, ar wahân i'r dyn coesa pren yn y syrcas. Mae o'n gwisgo hen facintosh laes gabardîn sydd yn 'gorad bob amsar. Gwynt a glaw, haul neu eira mi fydd gabardîn Seilas Wilias amdano ac yn siŵr o fod yn 'gorad ac yn fflapian fel adenydd o'i amgylch.

Mae ganddo fo sêt yn yr ochr wrth ymyl y Sêt Fawr a fydd o byth yn agor y drws. Dest codi'i goesa polion teligraff a chamu i mewn iddi. Weithia mi fydd o'n baglu. Un tro ddaru'i droed o fachu yn yr hen facintosh ac mi bowliodd i mewn â'i ben gynta. Mi gafodd pobol job i stopio chwerthin, ac mi roeddan nhw'n dal i biffian wrth ganu'r emyn ola.

Fydda i wrth fy modd yn gwylio Seilas Williams. Mae o fel gwylio clown mewn syrcas. Fydda i'n gorfod stwffio hances i 'ngheg rhag ofn i mi chwerthin allan yn uchel. Fysa hynny ddim yn neud y tro yn y capal. Pan fyddan ni i gyd yn ddistaw yn gweddïo mi fydd Seilas yn tynnu stumia a chwara efo'i bres yn ei boced. Mae Dad yn deud nad pres sgynno fo, ond y sgriws sydd wedi dod yn rhydd o'i ben.

Wedyn pan fydd y bregath yn ddiflas mi fydd o'n dechra tuchan. Porthi fydd Nain yn ddeud. Ond tuchan ydi o.

Un tro ddaru o dorri ar draws y pregethwr am ei fod o wedi deud rhwbath doedd o ddim yn licio. Ew, mae hynna'n ofnadwy o beth i' neud! Tydw i 'rioed wedi gweld neb yn torri ar draws pregethwr o'r blaen. Hyd yn oed pan maen nhw'n gofyn cwestiyna wrth weiddi pregath, does 'na neb yn atab.

Dro arall, pan ddaru un o'r blaenoriaid ofyn yn y seiat ar ôl yr oedfa, 'Oes yna unrhyw fater arall?' dyma Seilas Wilias yn gweiddi 'Oes' a chamu i'r Sêt Fawr a rhoi'i gyhoeddiad o'i hun.

Roedd rhywun wedi cael benthyg ei efail bedoli a doedd Seilas Wilias ddim yn cofio pwy, a dyma fo'n deud wrth y sawl oedd wedi'i benthyg ei fod o'n un sâl ar y diawl na fysa fo'n dod â hi'n ôl.

Ew, mae hynna'n ofnadwy o beth i' neud! Ond dyna fo, mae o'n cael getawê efo hi. Dwi'n edrych ymlaen i fod yn fawr i mi gael getawê efo petha.

Mae Nain yn gynnas ac yn ges ac yn hogla o Eau de Cologne. Os bydda i wedi blino ac isio cysgu mi ga' i fynd i'w chesail hyd yn oed yn y capal. Ond doeddwn i ddim isio cysgu nos Sul achos roedd Nain wedi dŵad â phapur a phensal i mi a dau Glesiar Mint. Wnes i 'u cadw nhw tan y bregath ddiflas a phesychu chydig tra oeddwn i'n tynnu'r papur, rhag ofn i bobol glywad.

Ddaru Nain adael tipyn o'r gwin ar ôl i mi. Tra oedd pawb arall yn gweddïo'n ddistaw bach ar ei ben ei hun, es i dan y sêt i'w yfad o. Doeddwn i ddim yn medru'i yfad o'n iawn achos roedd y gwydr mor fach. Mi wnes i neud iddo fo bara am hir. Rhois fy mys i mewn a sipian. Ew, roedd blas da fatha mwyar duon arno fo.

Mi ddwedis i wrth Dad ar ôl dod adra ac mi fuo fo'n gneud hwyl, yn smalio 'mod i wedi meddwi yn y capal. Doedd Mam ddim yn hoffi hynny. Doedd hi ddim mewn hwyl jôcs nos Sul. Roedd hi wedi cael llond bol achos roedd hi'n helpu i olchi llestri Cymun ar ôl yr oedfa.

Twrn Mam, Mrs Rogers 'Refail a Mrs Black, Becws Bryn oedd hi. Mam oedd yn golchi'r llestri, Mrs Rogers yn sychu a Mrs Black yn eu cadw nhw.

Ddaru Mrs Rogers fynd i fusnesa efo Mrs Black i weld oedd hi'n cadw'r llestri bach yn iawn. A dyma Mrs Black yn deud nad oedd Mrs Rogers yn eu sychu nhw'n ddigon da. Wedyn dyma nhw'n ffraeo go-iawn, a Mrs Rogers yn deud bod teisenna Becws Bryn yn betha bach sych diflas a dyma Mrs Black yn deud bod gweu Mrs Rogers yn gam fel ei cheg hi a doedd neb yn prynu'i stwff hi yn y Sêl o' Wyrc amsar Dolig.

Ddaru Mam dest dynnu plwg y sinc, sychu'i dwylo a dod adra.

Tydi pobol capal yn rhyfadd? Mae'n siŵr fod Iesu Grist wedi'u clywad nhw. Biti, a phawb wedi cael Swper Ola Bach!

CYFARFOD Y PLANT

Siop tsips Clifford ydi'r siop tsips ora yn y byd.

Rydw i wedi bod mewn sawl siop o'r fath wrth fynd ar drip Ysgol Sul a gwylia ond wir does 'na ddim tsips yn unlla i guro rhai Clifford.

Ac weithia ar nos Fawrth a nos Wenar mi fydd 'na sgolops.

Mae'r rheini'n well fyth. Maen nhw'n medru neud y sgolops yn gras o'r tu allan fel nad oes gormodedd o saim, dest y daten feddal yn y canol. Mewn ambell i siop bydd 'na bocedi o saim yma ac acw yn y sgolops. Ych-a-fi! Fydd y rheini'n gadael leinin ffwr tu mewn i 'ngheg i.

Nos Fawrth oedd hi neithiwr, ac felly roedd hi'n noson sgolops, a hefyd yn noson Cyfarfod y Plant. Well gen i fynd i Gyfarfod y Plant na'r Ysgol Sul. Rhaid bod yn sidêt ac yn dawal yn 'Rysgol Sul, a pheidio symud. Ond yng Nghyfarfod y Plant rydan ni'n medru chwerthin, chwara gêms a cheisio ennill cystadlaethau.

Fydd Mam yn fy nôl i ar ôl y cyfarfod. A mam Maldwyn hefyd. Mae mam Maldwyn a Mam yn ffrindia mawr er pan oeddan nhw'n nyrsio efo'i gilydd.

Ar ôl y cyfarfod mi fyddan ni'n mynd i Siop Clifford i nôl tsips ac wedi cyrraedd adra fyddan ni i gyd yn ista wrth y tân a'u byta nhw ar ein glinia a gwrando ar *Just William* ar y weiarles.

Fydda i'n licio hanas *Just William*. Ew, mae o'n ges a fydd o'n mynd i drybini ond mae o'n cael getawê efo hi bob tro bron.

Pan mae Maldwyn yn gneud petha'r un fath â William fydd ei fam o'n deud ei fod o'n hogyn drwg iawn. Fydd o byth yn cael getawê efo'i helyntion, ac weithia fydd o'n mynd i beryg a diodda chwip din. Mae'n siŵr fod petha drwg plant Saesneg yn ofnadwy.

Dwi'n gwbod bod pen ôl Maldwyn yn brifo nos Fawrth dwytha. Ar Huws y Gwnidog roedd y bai fod Maldwyn wedi gorfod diodda chwip din.

Roedd Mr Huws wedi gadael y darna atalnodi yn y moto. Anghofio. Fel yna mae gweinidogion. Mae ganddyn nhw hawl i anghofio yn does, achos maen nhw'n bobol barchus a phwysig.

Tra oeddan ni'n canu 'Dod ar fy mhen dy sanctaidd law . . . ' mi ddaru Mr Huws fynd allan i'w foto Morris i nôl y darna atalnodi. A dyma fo'n dod yn ôl i mewn i'r festri efo'r papura yn un llaw a chlust goch bitrwt Maldwyn yn y llall. Ac mi roedd wynab Maldwyn yn wyn fel colar gron Mr Huws.

Roedd Mr Huws wedi'i ddal o'n gollwng gwynt o deiars y moto. Mae Maldwyn wedi egluro'r sefyllfa i mi wedyn. Trio stopio'r gwynt rhag dianc roedd o.

'Dach chi'n gweld, roedd Maldwyn yn hwyr yn cychwyn i'r cyfarfod wedi bod yn torri pricia tân i'w fam. Wrth basio moto Mr Huws dyma fo'n sylwi ar y gwynt mawr yn dianc allan o'r teiars a dyma fo'n gneud fel ddaru'r hogyn bach yng ngwlad y felin wynt a'r tiwlips. Rhoid ei fys yn y twll i stopio'r llif. Trio helpu oedd o, medda fo, ond ddaru Huws y Gwnidog ddim gwrando.

Chafodd Maldwyn ddim tsips nos Fawrth. Roedd rhaid i'w fam fynd â fo adra'n syth. Doedd gwrando ar *Just William* ddim cweit 'run fath wrth feddwl am Maldwyn ar ei ben ei hun mewn helynt.

Hen dro hefyd a finna wedi ennill y gystadleuaeth darn atalnodi, a hitha'n noson sgolops.

GWEU

Tydi'r bys fydda i'n ei ddefnyddio i bwyntio efo fo ddim yn debyg i fys. Mae o'n fwy tebyg i bot pupur Nain, yn frith o dylla mân. Ac mae o'n ddiffrwyth.

Ar Miss Jini Owen Standard Tŵ mae'r bai fod 'y mys i bron â marw bob pnawn dydd Mercher. Amsar hynny rydan ni'n cael gwaith llaw efo Miss Owen. Ac ers wythnosa bellach tydan ni'n gneud dim byd ond gweu.

Ew, mae'n gas gen i weu yn 'rysgol. Mi fysa'n well gen i fynd i neud llunia efo'r hogia.

Pan fydda i'n gweu efo Nain, fydda i'n benthyg gweill pren llyfn ganddi hi a dafadd tew, cynnas. A dwi'n medru gweu'n iawn yn nhŷ Nain. Ond yn 'rysgol mae gweu fel hunllef!

Mae Miss Owen yn rhoi gweill fel sbôcs beic i mi a hen ddafadd fel llinyn bag blawd sydd yn gneud i'r gweu gymryd tymor cyfan i dyfu'n sgwâr. Mae o'n andros o waith calad i yrru'r weillan i mewn i'r pwyth. Wedyn mae hi'n fwy o job i dynnu'r pwyth drwadd, fel tasach chi wedi bwyta brechdan driog, a ddim wedi golchi'ch dwylo cyn mynd i weu. Efo'r holl rwts-mi-rats fydda i'n colli'r pwyth, a hynny o weu fydda i wedi'i neud.

A tydw i ddim yn cael panad yn y wers weu yn 'rysgol. Mae Nain yn rhoi panad o de i mi mewn cwpan tseina plisgyn wy sbesial. Fel hyn fydd Nain yn deud:

'Dyna ti. Ista di'n llonydd yn fan'na rŵan a gwna di dy weu yn ddel ac mi gei di de yng nghwpan sbesial Nain.'

A fydd hi'n dŵad â'r gwpan tsieni plisgyn wy a llun dynas bach Japanî arni hi o'r cwpwrdd gwydr. Ew, fydda i wrth fy modd ac eto fydd gen i ofn yn fy mol bach. Fysa fo'n ofnadwy taswn i'n torri cwpan plisgyn wy Nain.

Bron na fyswn i'n deud ei fod o'n blesar poenus cael panad yn y gwpan sbesial.

Gweu crafat i Doli Glwt rydw i yn nhŷ Nain. Wn i ddim be ydw i'n weu yn 'rysgol. Mae Lynwen Frazer wedi gorffen ei hun hi. Dest sgwâr ydi o. Mae Miss Owen yn crosio'r sgwaria efo'i gilydd i wneud blancad i'r Slafesion Rarmi. Ac maen nhw'n deud bod tŷ Miss Owen yn frith o glustoga ac antimacasars bob lliw.

Gofynnais i gwestiwn i Miss Owen yn y wers weu. Mae Dad yn deud wrthaf fi am holi yn fy ngwersi yn 'rysgol. Fel'na mae dysgu medda Dad.

'I be sydd isio gweu blancedi i Slafesion Rarmi, Miss Owen?' gofynnais yn glên. 'Mae'r rhyfal drosodd.'

Wnaeth Miss Owen ddim ateb. Dest 'y mhinsio fi.

Fel'na mae Miss Owen. Tydi hi ddim yn rhoi lempan fel Mr Ellis na chansan fel Mr Prydderch Sgŵl. Dest pinsio'n slei, fel y crancod sy'n byw yn y pylla bach dan greigia Black Rocks. Ond mae pinsiad Miss Owen yn fwy poenus na chnoad y crancod.

Hi sy'n gofalu am neud te yng nghornel yr athrawon amsar chwara. Tydan ni'r plant ddim yn cael te. Dest llefrith mewn poteli bach a thopia papur arnyn nhw i neud trimins Dolig.

Ew, mae'n rhaid bod gan yr athrawon lot o bres. Maen nhw'n medru prynu teisan yr un bob dydd o Becws Bryn. Fyddan nhw ddim yn mynd i nôl y teisenna eu hunain. Maen nhw'n dewis un o'r plant sydd wedi gneud gwaith rhagorol, neu wedi bod yn gymwynasgar i fynd ar y negas ac mae'r un lwcus yn colli chwartar awr o wers syms diflas cyn amsar chwara er mwyn mynd i'r Becws. A wyddoch chi be, ar ben y chwartar awr o holides bore, mae'r un lwcus yn cael wigsan ddimai am ddim gan Bobi Becws.

Dwi 'rioed wedi bod ar y negas, na Megan Tŷ Crwn chwaith. Mae'n siŵr bod arnyn nhw ofn i Megan grio ar ben y teisenna a'u gneud nhw'n slwts.

Mae Lynwen Frazer yn cael mynd ar y negas o hyd.

Ew, fyswn i wrth fy modd petai Miss Owen yn deud ryw ddiwrnod,

'Gwenno Lewis, gewch chi fynd i nôl y teisenna y bore 'ma.'

Ond tydi hi ddim wedi deud i fyny i heddiw. Fydd hi

dest yn deud petha fel 'codwch eich sana blêr' neu 'peidiwch â chnoi'ch gwallt'.

A 'mhinsio i ar y slei wrth reswm.

Cafodd Maldwyn fynd ar neges y teisenna fis dwytha. Roedd o wedi bod yn gymwynasgar. Mi fuo fo'n helpu Mr Prydderch y Sgŵl i gario tail i ardd Tŷ'r Ysgol. Ond fuo fo byth wedyn a tydi o ddim i fynd eto chwaith.

Ar Miss Owen mae'r bai na cheith Maldwyn druan fynd byth eto. Doedd hi ddim yn barod i gredu hanas Maldwyn yn cael ei atacio gan gi mawr blewog pan ddychwelodd i'r ysgol efo dwy deisan grîm yn fyr.

Crîm sleis Mr Ellis oedd un a merang Mr Prydderch oedd y llall.

Ddylsa'u bod nhw'n falch na chafodd Maldwyn druan ei anafu gan y ci mawr blewog. Ond doeddan nhw'n malio dim, ac aeth Maldwyn druan i fwy o beryg a chafodd lempan gan Mr Ellis a chansan gan Mr Prydderch.

Roedd Maldwyn a fi reit drist ar ôl 'rysgol y diwrnod hwnnw. Roedd ei law o'n berwi ar ôl cansan y Sgŵl a 'mys inna wedi marw ar ôl y stwnsio gweu. A dyma ni'n stopio wrth Ochr Cyt a mynd ar ein boliau a rhoi'n dwylo yn y dŵr i' smwytho nhw.

Dwi'n gwbod bod Maldwyn isio crio a dyma fi'n gafal rownd ei wddw fo a'i ddal o'n dynn.

'Paid â chrio, Maldwyn,' medda fi.

'Tydw i ddim,' medda Maldwyn a'r dagra'n rhedag i lawr ei drwyn o. 'Does gen i ofn neb na dim.'

'Dwi'n gwbod,' medda finna a sychu'i wynab o efo cornal fy mhais a gaddo na fyswn i'n deud wrth neb.

'Yli,' medda fi wedyn, 'mae gen i bisyn tair a dwy geiniog yn 'y mhocad. Ty'd, awn ni i siop Eis Crîm Paganuzzi i brynu taffi buwch.'

''Nes i ddim crio'n naddo?' medda Maldwyn wedyn a llond ei geg o daffi buwch.

'Naddo,' medda finna. 'Ti'n tyff gei.'

Pan oeddan ni'n cerddad adra dyma fi'n deud wrth Maldwyn,

'Wyddost ti be, Maldwyn? Mae'n dda na ddaru neb fyta crîm horn Miss Owen neu mi fysat ti wedi cael dy binsio hefyd.'

'O, fysa neb yn byta crîm horn Miss Owen,' medda Maldwyn, 'achos ro'n i wedi sgwasio pry copyn wedi marw i'w chanol hi.'

A dyma ni'n chwerthin yr holl ffordd adra nes bod dagra'n rhedag i lawr ein hwyneba ni a glyfeirion y taffi buwch yn dianc rhwng ein gwefla.

SYRCAS

Yn siop Eis Crîm Paganuzzi y gwelson ni'r postar. Un coch a glas a llun clown yn y gornel.

Doedd 'na ddim syrcas wedi bod yn y Port ers cyn rhyfal medda Dad a doeddwn i ddim o gwmpas amser hynny. Roeddwn i'n gwbod be oedd syrcas wrth gwrs achos mae 'na lyfr yn 'rysgol amdano fo a dwi wedi gweld un ar y ffilms yn y Coliseum. Hwyl a ciamocs anifeiliad a neud petha peryglus i fyny yn yr awyr ydi syrcas.

Pan mae consart neu steddfod yn y Town Hall mae'r gynulleidfa'n ista yn y seti ar y llawr a phawb sy'n cymryd rhan i fyny ar y llwyfan, ar wahân i consarts Al Roberts a Dorothy. Mae Al Roberts yn rhoi cyfle i rywun fynd i fyny i helpu Dorothy efo'r tricia majic.

Ddaru Dilys Felin a finna fynd i helpu unwaith. Isio gwbod y gyfrinach oeddan ni er mwyn i ni fedru gneud ciamocs hud a lledrith yng Nghyfarfod y Plant, ond welson ni ddim byd achos roedd dwylo Al Roberts yn symud fel lledod mwd ar y morfa.

Yn y syrcas mae petha'n wahanol. Mae pawb yn cymysgu. Mae mwncis yn ista wrth eich ymyl a phlant yn cael ymuno i wneud campa a reidio ceffyla yn y cylch. Ac ym mhob syrcas mae 'na glown wedi peintio'i wynab ac yn gwisgo dillad rhy fawr. Mi fydd pawb yn gweiddi hwrê pan ddaw o i'r cylch.

Does 'na neb yn gweiddi fel yna pan mae Mr Huws y Gwnidog yn mynd i'r Sêt Fawr. Sgwn i fysan nhw'n gneud tasa fo'n camu i mewn i gylch y syrcas? A sgwn i fysa'r oedfa'n gweiddi 'hwrê' tasa clown yn dringo i'r pwlpud?

Ew, roedd 'na le yn Port pan ddaru'r syrcas gyrraedd nos Iau. Lorris a charafannau'n mynd yn un gadwyn araf ar hyd y Cob, heibio i'r parc a throi i lawr Snowdon Street am y Traeth. Pawb ar eu hola nhw a hogia'r *Gas Works* yn stopio sheflio er mwyn cael golwg iawn ar yr orymdaith. Wedyn hwyl fawr a'r Ffeiar Brigêd yn helpu pan ddaru tryc y ceffyla fynd yn sownd yn y ffens wrth y lladd-dy.

Traeth ydi'r enw ar y tir gwastad lle'r oedd y môr erstalwm. Does yna ddim yno rŵan achos ddaru 'na ddyn o'r enw Madocs adeiladu'r Cob i gadw'r môr i ffwrdd, ac ers tro bellach mae'r lle oedd dan y dŵr yn gaeau o frwyn ac eithin a rheilffordd GWR yn mynd ar draws y wlad heibio i Ynys Galch am Minffordd a'r Bermo.

Roedd Owi Wirion wedi bod ar y lwc owt ar y Cob ers amsar cinio, ac mi ddechreuodd gerddad am Benrhyndeudraeth tua amser te i gyfarfod y syrcas.

Sefyll wrth ymyl Madog Garej roeddan ni a dyma ni'n gweld Owi yn ista wrth ymyl dreifar tryc y llewod. Roedd o'n codi'i law ar bawb fel tasa fo wedi byw efo pobol syrcas erioed.

Roedd hi'n ofnadwy dydd Gwenar achos roeddan ni yn yr ysgol trwy'r dydd ac yn sâl bron isio clywad y gloch yn canu am chwartar i bedwar. Roeddan ni isio mynd i'r stesion i weld yr eliffantod yn cyrraedd efo trên dri o'r Bermo ond yn lle hynny roeddan ni'n gorfod aros i ddeud tebls wyth a naw diflas cyn mynd adra.

Pawb ond Emlyn Parc achos roedd o wedi chwara triwant.

Pan ddaru mi gyrraedd y stesion roedd 'na eliffantod allan yn y depot glo a phobol syrcas yn ffysian o gwmpas efo bwcedi a brwsys a phlismyn nad oeddwn i'n nabod yn hel pobol fusneslyd o'r ffordd. Roedd 'na ddyn blewog mewn trwsus tyn yn rhoi ordors i bawb ac

Owi Wirion yn ofnadwy o bwysig achos roedd o'n cael helpu.

'Be ti'n neud efo'r bwcad ddŵr 'na, Owi?' medda Maldwyn.

'Wel nôl dŵr 'te,' medda Owi dan chwerthin.

'I be?' medda Maldwyn wedyn.

'I mi gael ticad am ddim i ddod i'r syrcas fory,' gwaeddodd Owi.

A dyma Owi'n codi bawd a gweiddi 'O.K. Chief' ar y dyn blewog a rhoi slap i ben ôl un o'r eliffantod a gweiddi 'O.K. Jumbo, O.K.'

Codi'i drwnc a rhuo ddaru'r eliffant.

Doedd y dyn blewog ddim yn deall Cymraeg a fuon ni'n trio cael Lynwen Frazer i fynd i siarad Saesneg efo fo i ni gael gwbod yn iawn beth oedd eu plania nhw, ond roedd arni ofn baeddu'i sgidia.

'Pryd iw mynd tw ddy Traeth?' medda Maldwyn yn ei lais Saesneg gora.

'*Get out of the way*,' medda un o'r plismyn diarth a'n hel ni'n ôl at gatia'r crosin.

'*Mind your backs*,' medda'r dyn blewog.

'Meind iŵr busnas,' medda Maldwyn a rhedag i ffwrdd.

Gawson ni andros o job i benderfynu ble'r oeddan ni am fynd i weld pob dim. Roedd sawl peth i'w wylio'r un pryd: gorymdaith o eliffantod ar hyd Stryd Fawr, tent syrcas yn mynd i fyny yn y Traeth ac Emlyn Parc yn deud fod 'na glown tew â thrwyn mawr coch yn chwara consartina dan y Town Hall, a mwnci bach efo fo'n gneud tricia.

'Awn ni i sefyll ar steps y ffowntan yn y Sgwâr,' medda Maldwyn, 'i ni gael gweld yr eliffantod i gyd yn pasio. Gawn ni weld pob dim arall fory yn y syrcas.'

A ffwrdd â ni i fyny'r stryd.

Roedd llond y lle o bobol ac roedd rhaid i ni ddringo ar ben y wenithfaen i neud yn siŵr ein bod ni'n gweld pob dim.

A fan'no fuon ni am bron i awr, ond roedd o'n werth yr holl aros. Car cnebrwn y Polîs ddaeth gynta a band Stiniog yn ei ddilyn. Tu ôl i'r drwm mawr daeth tri eliffant anfarth a dynion heb grysa mewn trwsusa silc yn ista ar antimacasars aur rhwng clustia'r eliffantod.

Yn eu dilyn roedd 'na hogan yn arwain yr eliffant bach dela welsoch chi erioed a ruban glas wedi'i glymu am ei wddw. Wedyn dyma pawb yn dechra chwerthin a gweiddi hwrê.

'Mae'r clown yn dŵad,' medda dynas fawr dew oedd yn sefyll o'n blaena ni ond nid clown oedd yno ond Owi Wirion efo tryc bach a rhaw yn hel tail.

Ddaru Maldwyn na fi ddim gweiddi hwrê, a ddaru ni ddim chwerthin.

Roedd y criw i gyd yn cyfarfod ar ôl cinio dydd Sadwrn yn y Cwt Pow-Wow er mwyn mynd i weld y syrcas yn y pnawn, ond roedd Maldwyn a finna'n barod i gychwyn ers cyn brecwast.

'Lle ti'n mynd?' medda fi wrth Maldwyn pan welis i o'n troi i lawr cefna Chapel Street am Becws Bryn.

'Wel i nôl byns 'te,' medda fo. 'Mae eliffantod yn licio byns. Dyna be ma'n nhw'n fyta yn y jyngl.'

A ffwrdd â ni i nôl y byns cyn cychwyn am y Traeth.

Tydw i ddim yn licio mynd i'r Traeth achos rhaid i chi basio lle'r sipsiwns. Ew, mae arna i ofn y sipsiwns. Maen nhw'n byw mewn carafannau a tydyn nhw ddim yn gwisgo sgidia na mynd i'r capal. Mae rhai o'r plant yn dod i'r ysgol ac mae 'na ogla mwg a hyrdi gyrdi Ffair Criciath arnyn nhw. Tydyn nhw ddim yn siarad llawar chwaith, dest syllu arnach chi'n hurt. Wedyn maen nhw un ai'n tynnu stumia neu'n gwenu fel giât nes bod eu dannadd nhw'n fflachio fel sêr.

Mae tad Maldwyn yn deud bod ambell i sipsi yn medru'ch troi chi'n llyffant wrth ganu.

Pan oeddan ni'n pasio'r giât sy'n mynd i mewn i Gae Sipsiwns dyma ni'n gweld criw ohonyn nhw'n sefyll o gwmpas crwc sinc oedd yn berwi ar y tân.

'Be ma'n nhw'n neud?' gofynnodd Maldwyn a llond ei geg o fyns eliffant.

'Potas draenogods,' medda Emlyn. 'Dyna be ma'n nhw'n fyta. Potas draenogods a dant y llew wedi ffrio.'

'Ych, dwi'n siŵr eu bod nhw'n pi-pi yn y gwely,' medda Megan Tŷ Crwn.

Beth bynnag, rhedag heibio reit handi wnes i a rhoi 'mysedd yn 'y nghlustia rhag ofn i un ohonyn nhw ganu.

Wedi cyrraedd y Traeth roedd yn amlwg fod pobol Port wedi dechra ciwio i fynd i mewn i'r dent, ond fuon ni'n lwcus. Cawsom le reit handi ar fainc bren wrth ymyl y cylch i ni gael gweld pob dim a bod yn gynta i mewn os oedd 'na siawns i neud campia.

Yr ochr draw i'r cylch roedd llenni glas a sêr arian arnyn nhw ac uwchben y rheini roedd 'na focs yn crogi o'r nenfwd a dynion mewn siwtiau soldiwrs yn chwara band.

Roedd Lynwen Frazer yn ista efo'i mam a'i thad ar seti llian ar lwyfan y tu ôl i ni. Roedd hi wedi cael rubana newydd yn ei chyrls a bocs o fferins.

Ar ôl sbel dyma'r band yn dechra canu, a dyma ddyn mewn côt goch a het galad yn dod i mewn i ganol y cylch a dechra gweiddi Saesneg a chwipio'r llwch lli yn gymylau melyn.

'Pa dricia mae hwn yn neud?' gofynnodd Megan Tŷ Crwn wrth disian.

'Dim byd,' medda Emlyn Parc. 'Hwn ydi'r dyn-deud-be-sy-nesa.'

Ac mewn dim roedd yna geffyla bach sionc yn dod i'r golwg o du ôl y llenni sêr a dyma nhw'n dawnsio'n ddel o gwmpas y cylch. Roedd patrwm fel gêm draffts bob ochr i'r crwmp a phlu mawr coch ar eu talcen. Wrth iddyn nhw ysgwyd eu penna canodd y clychau bach oedd yn sownd yn eu penffrwyn.

Ar ôl y ceffyla dyma 'na glown yn dod o amgylch y cylch a mwnci bach ar ei ysgwydd.

'Hwn oedd y mwnci welist ti dan y Town Hall?' gofynnodd Maldwyn i Emlyn.

'Ia siŵr,' medda Emlyn. 'Tydw i'n ei nabod o'n iawn. Ty'd ag un o fyns yr eliffantod i mi, Maldwyn.'

'Come here, Jimmy,' galwodd Emlyn a dangos y fynsan i'r mwnci bach, a wir i chi dyma'r mwnci bach yn neidio ar ei lin o a chipio'r fynsan yn ei ddwylo bach main.

Ew, roedd gen i biti dros y mwnci bach! Roedd o wedi'i wisgo mewn hen ffrog fudr rad a bonat am ei ben fel tasa fo'n fabi dol.

'*Here*, Jimmy,' medda'r clown, ac mewn chwinciad roedd y mwnci wedi landio ar ysgwydd yr hen glown unwaith eto. Welis i'r clown yn pinsio'r mwnci bach nes oedd o'n gwichian. Wedyn dyma fo'n rhoi cneuan iddo fo stopio.

Tra oedd y clown a'r mwnci bach yn gneud campia roedd dynion cry wedi bod yn brysur yn gosod cawell o gwmpas y cylch, ac fel roedd y clown a'r mwnci yn mynd o'r golwg heibio i'r llenni sêr dyma'r band yn dechra canu eto, a dyma 'na dri o lewod yn rhuo i mewn i'r gawell a neidio i ben rhesal fel tasan nhw'n mynd i ganu. Mewn ychydig dyma ddrymia'r band yn cael eu taro a daeth dyn mewn dillad hela jyngl i mewn i'r gawell a dechra piwsio'r llewod druan efo chwip. Mi fuo'r llewod yn rhuo ac yn chwipio'u cynffonna a rhoi ambell i sbonc i fyny ac i lawr y rhesal. Cyn hir, a'r drymia'n crynu, dyma'r dyn yn rhoi'i ben i mewn yng ngheg un o'r llewod.

Amsar hynny mi rois i 'nwylo dros fy llygaid. Fyswn i ddim yn licio gweld y dyn dillad hela'n rhedag o gwmpas heb ben, ond fyswn i ddim wedi synnu tasa'r llew wedi cau'i geg yn glep arno fo achos dwi'n siŵr fod y llewod i gyd wedi cael llond bol arno fo a'i hen chwip frwnt.

Pan glywis i bawb yn gweiddi hwrê ddaru mi bipian rhwng 'y mawd a bys yr uwd a wir i chi roedd y dyn yn bowio a'i ben yn dal i fod yn sownd yn ei ysgwyddau.

Tra oedd y gawell yn cael ei chlirio mi fuo 'na gŵn bach yn gneud tricia o gwmpas y cylch a'r eliffantod yn ista ar stoliau bach ac yn begio fel bydd Fflos ci Anti Janat yn gneud pan fydd o isio tamaid o deisan.

Wedyn, dyma'r dyn-deud-be-sy-nesa yn clecio'i chwip a dechra gweiddi. Fflachiodd golau llachar o gwmpas y cylch ac aros ar y nenfwd. Yno, i fyny'n uchel yng nghanol y rhaffau, roedd 'na hogan yn siglo ac yn troi a throsi ar siglen. Esmeralda oedd ei henw hi. Roedd hi'n f'atgoffa i o'r Tylwyth Teg. Er nad ydw i erioed wedi gweld un, fel yna y bydda i'n meddwl amdanyn nhw. Rhyw betha ysgafn mewn dillad o emau yn hofran fel pili palod rhwng y nefoedd a'r ddaear.

Welis i Esmeralda'n gwerthu fferins a chnau yn yr egwyl. Roedd hi'n fudr a doedd y gemau ar ei gwisg hi ddim byd ond sicwins a rhai o'r rheini wedi mynd ar goll. Roedd ganddi focha coch smalio a gwefusau wedi'u lliwio'n fwy nag oeddan nhw. Roedd hi'n f'atgoffa i o'r Gei Ffôcs fydd tad Maldwyn yn ei neud i ni bob blwyddyn.

Biti fod Esmeralda wedi dod i lawr i'r ddaear.

Ar ôl yr egwyl gwelsom ddyn yn reidio beic ar lein ddillad, ac mi fuo 'na fwy o glowns yn poitsio dŵr a rhedag o gwmpas. Roedd 'na un yn edrych yn ddigri iawn. Gwisgai drwsus rhy lydan a sgidia hir, hir fel llonga Madog ac roedd gwên fawr biws wedi'i pheintio ar ei wynab.

Dyma fwy o geffyla i'r cylch a gennod coibois ar eu cefna nhw yn gneud pob math o dricia. Welis i 'rioed Tom Mix na Hopalong Cassidy yn medru gneud y ffasiwn giamocs. Wedyn daeth dau geffyl yn llusgo ffrâm gwely a chroen arno fo i ganol y cylch, a dyma un o'r gennod yn neidio oddi ar y ceffyl a dechra sboncio ar y ffrâm, a chyda phob sbonc roedd hi'n mynd yn uwch ac yn uwch ac wedyn dyma hi'n bwrw'i thin am ei phen.

Ar ôl i bawb orffan clapio dwylo dyma'r dyn-deud-be-sy-nesa yn clecio'i chwip a gweiddi '*Ladies and gentlemen, boys and girls*' a dechra malu awyr mewn Saesneg.

'Be mae o'n ddeud?' medda fi wrth Emlyn.

'Wn i ddim wir,' medda hwnnw a dyma fo'n mynd i ofyn i Owi Wirion oedd yn ista ym mhen y rhes.

Dŵad fel comando ar ei fol rhwng y meincia ddaru Owi. 'Siawns i chi ennill het goibois, hogia bach,' medda fo.

'Be sydd isio'i neud?' gofynnodd Maldwyn.

'Neidio ar y trampolîn chwe gwaith a chyffwrdd dy draed yn yr awyr a gneud tin dros ben.'

Mewn eiliad roedd Maldwyn yn y cylch.

'Ty'd,' medda Dilys Felin a'm tynnu i i mewn i ganol y llwch lli. 'Ty'd, i ninna gael het goiboi go-iawn i chwara coibois yn Ben 'Rynys.'

A chyn i Owi godi ar ei draed roedd 'na griw mawr ohonan ni wedi hel o gwmpas y trampolîn. Ew, roedd yn dda'n bod ni wedi dŵad yn fuan a chael sêt flaen achos erbyn i'r plant oedd yn ista yn y meinciau cefn gyrraedd roeddan nhw'n cael eu hel yn ôl i'w llefydd.

Siani Tyrpac aeth ar y trampolîn gynta, ac fel roedd hi'n mynd i neidio am yr ail waith dyma'r hen glown traed llonga Madog yn taro cefn ei choesa hi â'i ffon nes oedd ei phenna glinia hi'n plygu, a dyma hi'n landio ar ei phen ôl.

'*Next*,' gwaeddodd y clown a dyma Emlyn i fyny a digwyddodd yr un peth i hwnnw.

'*Next*,' medda'r hen glown eto, a dyma finna'n dringo i ben y ffrâm. Roeddwn i'n barod am y ffon, ond roedd yr hen glown yn rhy handi, a lawr â finna fel crempog cyn i mi gael naid iawn.

Dilys Felin oedd y nesa ond dyma Owi'n deud mai hen Jiws oedd pobol syrcas. 'Gêm ydi hi, hogia bach,' medda fo, 'i neud hwyl am ein penna ni.'

'Ti'n iawn, Owi,' medda Emlyn. 'Tydyn nhw ddim yn rhoi siawns i chdi hel sbîd, a does 'na ddim sbrings yn ochr y trampolîn.'

Twrn Maldwyn oedd wedyn a dyma fo'n rhoi andros o naid ond cael ei gopio gan y ffon ddaru o hefyd.

'Dos i ganol y croen,' medda fi wrth Maldwyn. 'Dos i'r canol fel byddi di'n gneud ar wely pres dy Nain.'

Felly mae o'n gneud adra pan mae hi'n rhy wlyb i fynd allan i chwara. Dwi wedi'i weld o.

'*Next*,' medda'r hen glown, ond aros yno ddaru Maldwyn a mynd reit i ganol y trampolîn.

'Mi want tw trio eto,' medda Maldwyn.

'*Get off*,' medda'r clown a 'nelu am goesa Maldwyn druan â'i hen ffon.

'Not ffêr,' medda Maldwyn yn ei Saesneg gora.

'*Get off*,' medda'r clown wedyn yn siarp, a'r paent ar ei wyneb yn dal i wenu ond ei lygaid wedi gweu i'w gilydd yn gas.

'Stop, clown,' gwaeddodd Owi a brasgamu i mewn i'r cylch nes oedd y llwch lli'n lluwchio o gwmpas ei benna glinia.

'*Get out*,' medda'r clown a sgŵd i Owi â'i ffon.

A dyma Owi'n mynd yn nes a sefyll ar draed hir y clown nes oedd o'n methu symud yn ôl na blaen ac mi dorrodd ei hen ffon o.

'Mai ffrend trio eto. *O.K. Chief*?' medda Owi wedyn.

Wel tasach chi'n gweld Maldwyn yn gneud ciamocs. Roedd o fel pêl india ryber yn sboncio a gneud tin dros ben a phawb yn clapio dwylo a gweiddi 'Go on, Maldwyn' a 'Da iawn, Maldwyn'.

A dyma dyn-deud-be-sy-nesa yn clecio'i chwip nes oedd hi'n mygu yn yr awyr, a dyma Maldwyn â'i wynab bitrwt yn stopio'n stond ar y trampolîn. Aeth y lle'n ddistaw, ddistaw. Doedd 'na ddim smic yn unlla. Bron nad oeddach chi'n medru ogleuo'r tawelwch.

Yn sydyn dyma gorn yn canu fel mae o'n neud amsar steddfod neu pan fydd pobol yn cofio soldiwrs am ddau funud ar Ben 'Rynys ar ddiwrnod popis. 'Run eiliad, dyma hogan ar gefn ceffyl gwyn a hetia coiboi yn ei llaw yn reidio i mewn heibio'r llenni sêr a rhoi un het am ben Maldwyn ac un arall am ben Owi.

Wel am hwyl! Maldwyn ac Owi yn sgubo'r llwch lli â'u hetia newydd wrth fowio, a phawb yn gweiddi ddim dest 'hwrê' ond 'hip hip hwrê'.

Pawb ond y clown traed llonga Madog.

Tydi Maldwyn byth yn gwisgo'i het goiboi newydd. Mae hi'n un go-iawn medda fo a rhy dda i fynd i Ben 'Rynys i saethu Red Indians.

Mae Owi Wirion yn gwisgo'i het o bob dydd.

Dwi ddim yn meddwl y gwna i ruthro i weld syrcas i lawr yn y Traeth eto. Well gen i fynd i weld Al Roberts a Dorothy yn gneud hud a lledrith hyd yn oed os bydda i'n methu deall y tricia.

Mae'n fwy o hwyl pan fyddwch chi ddim yn gweld pob peth sy'n digwydd.

GWYLIAU

Hwrê, hwrê, mi fydd hi'n ddydd Sadwrn bob dydd am hir, hir. Mae'r gwyliau wedi dechra a'r ysgol wedi cau, y drysa wedi'u cloi am wythnosa. Dim mwy o binsio Jini Owen tan yr hydref, na storis diflas Mr Ellis. Mi gaf chwara, chwara, chwara nes bydda i'n chwil fel meri-go-rownd ffair Criciath. Mi ga i fynd am drip i'r Rhyl efo'r Ysgol Sul, i'r Bermo efo Nain, i Lundain efo Mam a Dad ac i lan y môr bob tro mae'r hin yn braf.

Ew, rydw i wrth 'y modd mynd i lan y môr. Rhaid dal bws Morfa Bychan i fynd yno, a dod i lawr yn Beach Road. Wedyn rhaid cerdded am hir nes bydd y ffordd yn gorffen a'r twyni'n dechra.

Weithia bydd Mam yn mynd â fi, Maldwyn a phwy bynnag arall fydd isio trip os gwnân nhw ddŵad â bwyd a thalu am y bws eu hunain. Weithia, mam Maldwyn fydd yn mynd â ni, neu mam Dilys Felin neu Megan Tŷ Crwn.

Mae o'n fwy o hwyl mynd yn un criw achos mi fedrwn gael gêms fel criced, rownders a chwara cuddiad.

Tasach chi 'rioed wedi bod ar y bws i Morfa Bychan o'r blaen mi fysach chi'n medru gesio fod 'na lan y môr wrth ymyl achos mae tywod wedi hel wrth ochr y ffordd. Ac mi fyswn i'n medru cael hyd i lan y môr hyd yn oed taswn i'n ddall. Rydw i'n medru teimlo'r tywod rhwng bodia 'nhraed, clywad y tonnau'n llepian ar y traeth, ac ogleuo'r gwymon. Hefyd mi fydda i'n gwbod bod ehedydd o gwmpas. Mae'r deryn bach yn fflio'n rhy uchel i mi ei weld, ond mi fydda i'n ei glywed yn canu. Mae Dad yn deud bod yr ehedydd yn canu uwch-ben ei nyth. Sgwn i oes arno fo ofn anghofio lle mae o'n byw?

Fyddan ni'n aros trwy'r dydd yn lan y môr. Dyna pam y byddan ni'n mynd â bwyd efo ni. Brechdan tomato, a thamaid o *marble cake* Mam fydda i'n licio ora a jinjir biâr oddi ar lorri *Mineral Waters* Sam Jinjir Biâr. Os bydd Megan Tŷ Crwn efo ni, mi fyddan ni'n cael diod o oren, achos mae yna fabi yn nhŷ Megan ac maen nhw'n cael cwpons i gael oren jiws *Ministry of Food.*

Un tro ddaru Dilys Felin ddŵad â thamaid mawr o deisan wy. Roedd hi wedi'i sgwasio'n swrwd yn y bag lan môr ar ben bob dim, ac mi fu raid i Dilys fynd i nofio yn ei nicar a'i fest.

Y peth cynta fydda i'n licio neud ar ôl cyrraedd y traeth ydi tynnu fy sandals a theimlo'r tywod cynnes yn cosi rhwng 'y modia. Mae'r tywod ar y twyni'n sych a phan fyddwch chi'n cerdded ynddo fo does dim ôl eich traed. Mae'r twll yn llenwi mewn chwinciad, yn gynt na gwydr bach berwi wy Nain.

Wedyn mi fydda i'n licio rhedag i lawr i'r tywod tamp. Fan'no rydach chi'n medru gneud castelli a theisenna heb iddyn nhw ddymchwal. A fan'no mae siapia'ch traed ym mhob man, fel tasan nhw wedi sgwennu stori ar hyd y traeth. Weithia mi fyddwn yn cael gêm. Pawb i sefyll ar ôl troed y cynta. Mi fydd o fel tasa 'mond un wedi cerdded yn un llinell, fel neidr gantroed.

Pan fydd y llanw allan bydd rhaid i ni gerdded am hir i fynd i nofio. Ond tydw i ddim yn hoff o nofio. Fedra i ddim beth bynnag, ac mae'r môr yn fawr ac yn gryf a finna'n fach. O diar, mi fydd yn mynd â 'ngwynt i i gyd.

Fu bron iddo fynd â 'nillad trochi un tro hefyd.

Mam oedd heb gwpons dillad, ac mi ddaru hi wnïo dillad trochi newydd i mi allan o hen siwmper. Roedd o fel *bathing* costiwm a bib yn clymu rownd 'y ngwddw a llun blodyn ar y darn uchaf. Pan es i i'r dŵr dyma'r *bathing* costiwm yn mynd yn drwm, drwm a 'mystyn fel pestri nes oedd fy nwy fron fach i yn y golwg yn y ffrynt a hanner 'y mhen ôl i i'w weld o'r cefn. Mae'n bwysig cael dillad iawn i fynd i'r môr rhag ofn i bobol chwerthin am eich pen chi, wir!

Fydda i byth yn mynd yn bell i'r môr. Dest at 'y mhenna glinia. Mae'n hwyl gorwedd yn y dŵr bas. Mae'r môr mawr yn dawel ac yn gynnes yn fan'no. Fydda i'n smalio 'mod i mewn gwely a bod y tonnau'n gynfasau yn cael eu lluchio drostaf fi.

Mae Maldwyn a fi wrth ein bodd yn gneud tylla. Mi fyddan ni'n gneud un mawr wrth ymyl y llanw ac yn ista ynddo fo i aros i'r môr ei lenwi. Ond syniad Emlyn Parc oedd gneud tylla yn y tywod wrth y fynedfa i'r traeth. A dyna sut y bu bron i ni â chael ein gwahardd rhag mynd i lan y môr o gwbwl trwy'r haf.

Dydd Sadwrn poeth wythnos cyn y gwyliau oedd hi. Roedd pawb wedi mynd i lan y môr y diwrnod hwnnw, hyd yn oed y mamau, ac am fod arnyn nhw isio llonydd i falu awyr, fel bydd Dad yn deud, roeddan ni'r plant wedi cael pres i nôl eis crîm o gaffi Beach Road. Fel roeddan ni'n mynd trwy adwy'r ffordd tarmac yn y twyni dyma 'na gar Morris Êt yn nesu, a wir i chi fedra fo ddim mynd dim pellach. Aeth yn sownd yn y tywod fel cwningen mewn croglath.

Gofynnodd y dreifar a fysan ni'n ei helpu i ddod yn rhydd, a dyma ni'n mynd i nôl ein rhawia a dechra sheflio tywod i un ochr. Wedyn dyma'r dyn yn cael hyd i damaid o bren yn y twyni a'i roi o dan yr olwyn, a wir i chi mi s'mudodd y car fel wennol.

'Diolch yn fawr,' medda'r dyn, a dyma fo'n rhoi pisyn tair bob un i ni!

Ddaru ni ddim mynd i nôl eis crîm ond penderfynu aros rhag ofn y bysa 'na gar arall isio help.

'Fyddan ni'n aros am yn hir,' medda Megan Tŷ Crwn. 'Anamal iawn y bydd ceir yn dod ar y traeth.'

'Wyddost ti ddim,' medda Emlyn. 'Ma' 'na lot o bobol ddiarth yn aros yn Butlins.'

Ac ar y gair dyma 'na fan bwtsiar o Flaenau Ffestiniog yn gyrru fel y coblyn, ond mi fedrodd fynd reit rwydd trwy'r adwy. A wir i chi mewn dim wedyn daeth Mr Ellis Standard Thri heibio ar ei foto beic a Mrs Ellis o'r golwg dan het fawr a sgarff yn y seidcar.

'Biti na fysa Mr Ellis wedi mynd yn sownd,' medda Dilys.

'Hy,' medda Emlyn, 'waeth iddo fo heb â mynd. Fysan ni ddim hyd yn oed yn cael ffardding gan yr hen grintach.'

'Na fysan,' medda Maldwyn. 'Dest row am neud y lle'n flêr mae'n siŵr.'

'Falla neith y nesa fynd yn sownd,' medda Dilys.

'Falla wir,' medda Maldwyn.

'Tasa 'na dwll go ddwfn yna mi fysa fo'n siŵr o fynd yn sownd,' medda Emlyn.

'Basa,' medda Maldwyn wrth gnoi brwynen. 'Tasa 'na dwll.'

'Tasa 'na gar yn mynd yn sownd falla y bysan ni'n cael pisyn tair eto,' medda Emlyn wedyn.

'A tasan ni'n cael pisyn tair, falla y bysan ni'n cael tsioc eis,' medda Dilys Felin.

A ffwrdd ag Emlyn, Dilys a Maldwyn i dyllu, a finna a Megan ar y lwc owt.

Dyma 'na Standard Ten i fyny'r lôn . . . ac wps, i lawr â fo i'r twll a refio nes oedd y tywod yn lluwchio. Roedd llond y sêt ôl o blant a'r rheini'n dechra crio.

'Be sy'n bod?' gofynnodd Maldwyn yn fonheddig wedi iddo ddod allan o'r twyni'n hamddenol efo Emlyn.

'Isio help mae o,' medda Emlyn a'i raw y tu ôl i'w gefn.

'Ew, diolch yn fawr,' medda'r dyn.

'Dowch pawb,' gwaeddodd Maldwyn, 'nown ni helpu'r dyn 'ma ddod o'r tywod.' Ac wedi i ni gael arwydd dyma Dilys, Megan a finna i'r golwg a dechra sheflio.

Roedd y pren yn handi wrth ymyl, a dan yr olwyn â fo, ac i ffwrdd â'r car. Welson ni'r un geiniog heb sôn am bisyn tair. Dest y dyn yn chwifio'i het wellt a'r plant yn tynnu stumia yn y ffenest ôl.

'Dyna'r tsioc eis yn ffliwt,' medda Emlyn.

'Dwi'n ffed up ac yn boeth,' medda Dilys Felin. 'Dwi'n mynd i nôl cornet efo hynny o bres sydd gen i.'

'Mi driwn ni unwaith eto,' medda Emlyn. 'Dest un waith, ac wedyn rown ni *give up*.'

'O.K. 'ta,' medda pawb ac i ffwrdd â ni i ehangu chydig ar y twll ac yna i guddio i'r brwyn fel pryfaid cop yn disgwyl am bry.

Wel wir, mi fuom yno am hydoedd heb weld yr un car, a dyma benderfynu mynd i nôl eis crîm a dod yn ôl reit handi rhag ofn y bysa rhywun wedi bod mor anffodus â mynd yn sownd.

Ew, roedd y cornet yn dda! Wnes i fwynhau sugno a llyfu'r hufen ac yn sgota efo 'nhafod i lawr i waelod y corn er mwyn blasu pob diferyn. Ond siom gawson ni wedi dychwelyd at y twyni. Roedd y twll yn wag.

'Go fflamia,' medda Dilys. 'Hen gêm ddiflas! Dwi'n mynd at Mam i nôl brechdan. Dwi isio bwyd.'

'Tewch,' medda Maldwyn, 'mae 'na rwbath yn dŵad.' A dyma ni i ben y twyni a phwy oedd yn nesu am yr adwy o'r traeth ond moto beic Mr Ellis.

Wnes i mo'i weld o'n mynd i'r twll achos roeddwn i wedi cau fy llygaid yn dynn. Ond ddaru fi glywed gwich brêcs a sgrech dynas.

Wedyn tawelwch.

Wedi i ni aros am chydig, dyma ni'n pipian dros y twyni. Roedd y moto beic â'i drwyn yn pwyntio at y nefoedd a Mr Ellis ar ei gefn yn y tywod yn damio. Roedd y seidcar wedi'i ddatgysylltu ac yn wynebu Harlech a doedd dim hyd yn oed het i' weld ynddo.

Wrth i Mr Ellis godi mi gafodd gip arnan ni. Ew, dyma fo'n dechra gweiddi a chodi'i ddwrn.

'Ro'n i'n meddwl eich bod chi ar berwyl drwg, y cnafon.'

Welis i'r lliw haul yn cilio o wynab Emlyn. 'Wel, 'dan ni amdani rŵan 'ta,' medda fo a sincio i lawr ar ei ben ôl i'r brwyn.

Roeddan ni i gyd yn teimlo'n reit sâl, ac ro'n i'n clywad y cornet eis crîm yn gweithio'i ffordd i fyny 'nghorn gwddw. Wedyn dyma Megan yn dechra crio a swnian am ei mam.

Lwcus bod mam Dilys Felin wedi dod i chwilio amdanan ni achos ddaru hi fedru rhoi Mr Ellis yn ei le. Mae hi'n siort ora am gega. Glywis i Nain yn deud ei bod yn sarffas o ddynas.

Ddaru hi ddeud y drefn wrth Mr Ellis am ddŵad â moto beic peryg i lan y môr i ganol plant bach yn chwara. A phan ddaru Mr Ellis ddechra cega'n ôl a deud damia bob munud mi ddaru mam Dilys fwgwth mynd i gwyno wrth y Sarjant yn y Polîs Stesion.

Chwara teg, Maldwyn ddaru gofio am y pasenjar yn y seidcar.

'Dwi'n mynd i helpu Mrs Ellis, druan bach,' medda Maldwyn yn uchal i Mr Ellis gael ei glywed. Ond ddim Mrs Ellis oedd yn y seidcar . . . Miss Jini Owen Standard Tŵ! Glywis i Mr Ellis yn deud wrth mam Dilys mai ei helpu o i hel gwymon i'r tatws oedd hi.

'Rydach chi ar ei hôl hi yn plannu'ch tatws cynnar!' medda mam Dilys.

Wedyn dyma hi'n dechra chwerthin a mwmblan rhwbath am blannu ceirch. Ond ddaru Mr Ellis ddim chwerthin.

Ew, roeddan ni ofn yn 'rysgol dydd Llun wedyn. Roeddan ni i gyd yn barod am y gansan ond yn rhyfadd iawn ddaru Mr Ellis ddim sôn dim byd, a ddaru Jini Owen ddim dŵad i'r ysgol o gwbwl.

Tebyg ei bod yn plannu'i thatws, cyn iddi fynd rhy hwyr!

Y SIOE

Mae yna andros o le wedi bod yn tŷ ni ers tridia, ond mae hi wedi distewi rŵan achos mae'r sioe floda drosodd ers neithiwr.

Enw iawn y sioe ydi '*The Portmadoc and District Horticultural and Cage Bird Show*'. Mi fydd hi'n cael ei chynnal bob blwyddyn yn yr haf yn y Town Hall ar Ddydd Llun Gŵyl y Banc.

Fydda i wrth fy modd efo'r sioe unwaith y bydd hi

wedi dechra—y caneris yn canu ar draws ei gilydd a llond y lle o arogl pys pêr a theisenna, ac mi fydd 'na lot o hwyl wrth gael te bach yn yr *ante-room* i fyny'r grisia. Ond wir, mi fydd 'na lawer o waith i' neud cyn hynny.

Bydd Mam yn cystadlu efo *bottle fruit* a gneud jam a theisenna ac mi fydd Dad yn dangos adar, llysia, wya a mêl.

Bydd Dad yn brysur ofnadwy cyn y sioe yn paratoi cewyll arbennig i gario'r adar. Mae o wedi gneud ces mawr pren a rhes o gewyll bach del tu mewn iddo fo, wedi'u peintio'n wyn, i arddangos adar bach mewn sioe. Hefyd mi fydd Dad yn byw yn yr ardd bron, yn bwydo a meithrin y bloda a'r llysia er mwyn iddyn nhw fod ar eu gora ar y diwrnod mawr.

Bora'r sioe bydd raid cario pob dim ar hyd y Stryd Fawr, ac wedyn i fyny'r grisia haearn i mewn i'r neuadd, a chymryd gofal rhag ofn i chi ollwng rhwbath.

Wedyn bydd raid cael hyd i'r lle priodol ar y bwrdd, a rhoi pob dim yn y lle iawn a'r rhif arno neu mi fydd Dic Torri Beddi'n cega yn ei lais dwfn. Fo ydi'r stiward sy'n gofalu am y byrdda ar y diwrnod mawr. Mi fydd o'n ofnadwy o bwysig, yn ordro pawb o gwmpas ac yn trio bod ym mhob man ar yr un pryd. Dyna pam mae o'n gwisgo sgidia canfas, er mwyn gallu symud o gwmpas yn handi. Mae tad Maldwyn yn eu galw nhw'n sgidia dal ieir.

Dic Torri Beddi sy'n gofalu am y fynwant. Mae pob dim yn sgwâr ac yn dwt yn fan'no a digon o le rhwng pawb sy'n cael ei gladdu. Tasa gan Dic ddim trefn yno mi fydda'r beddi ar ben ei gilydd a fysan ni ddim yn gwbod ble i roi'r bloda ar Ddydd Sul y Blodau. Ac mae'n siŵr bod hyn i gyd yn bwysig mewn sioe achos mae'n rhaid i'r byrdda fod yn sgwâr ac yn dwt a digon o le i bob dim.

Roeddwn i yn yr ardd pnawn dydd Iau cyn y sioe. Roedd drws y cwt caneris ar agor a'r adar bach i gyd yn cael nap yn y pnawn. Roedd hi mor boeth nes bod y gwenyn hyd yn oed wedi mynd i mewn i'r cychod i gysgu.

Megan Tŷ Crwn ddaeth gynta i ofyn am fotwm bach coch i'w wnïo ar y pwrs roedd hi wedi'i weu at y gystadleuaeth i blant. Wedyn daeth Maldwyn ac Emlyn Parc. Dim byd i' neud oedd ganddyn nhw.

Maen nhw'n licio dŵad i'r ardd yn tŷ ni achos mae 'na ddigon o le i chwara. Beth bynnag roedd hi'n rhy boeth i chwara dim byd a dyma fi'n deud 'mod i isio hel bloda i ymarfer at y gystadleuaeth *Floral Table Decoration*.

'Wn i ddim pam wyt ti'n ponsio, neno'r nef,' medda Maldwyn wrth luchio'i hun ar ei gefn ar y gwair.

'I mi gael ennill 'te,' medda finna.

'Hen lol sisi,' medda Emlyn Parc wedyn. 'Dest er mwyn cael rhyw hen gardyn gwirion a dy enw di arno fo.'

'Naci, nen tad,' medda finna. 'Os do' i'n gynta mi ga' i chwe swllt o wobr.'

'Esgob,' medda Maldwyn a'i llgada fo'n troi fel top, 'wyddwn i ddim fod 'na bres i' gael.'

'Oes tad,' medda Megan Tŷ Crwn, 'a thri swllt os wyt ti'n ail, a swllt am drydydd.'

'Esgob,' medda Maldwyn wedyn, a chicio'i goesa budr i fyny i'r awyr, 'tasat ti 'mond yn cael trydydd mi fysat ti'n medru prynu pedwar bloc o daffi buwch neu ddeuddag ffon o licris bôl.'

A dyma fi'n egluro iddyn nhw nad oeddwn i'n bwriadu prynu taffi buwch i mi fy hun heb sôn am neb arall achos 'mod i'n mynd i Lundain ar 'y ngwyliau mewn tair wythnos. Roeddwn i isio hel pob ceiniog i mi gael mynd i weld lle'r oeddan nhw'n torri penna pobol ddrwg i ffwrdd erstalwm.

'Be arall wyt ti'n drio yn y sioe?' gofynnodd Emlyn.

A dyma fi'n dangos y llyfr bach sy'n deud pob dim am y sioe. Tra oedd Megan yn mynd trwy focs botyma Mam, mi fuo Emlyn a Maldwyn yn 'studio'r llyfr am yn hir i weld oedd yna rwbath iddyn nhw drio.

'Beth am hwn, *decorated sandwich*?' gofynnodd Emlyn.

'Mama sy'n gneud petha fel'na,' medda finna.

'Hy, fedar unrhyw un neud brechdan, siawns gen i,' medda Maldwyn. 'Mi wna i un gaws a phicl a chydig o beli bach arian cacan Dolig ar ei phen hi.'

'Dim *sandwich* fel'na siŵr,' medda finna. 'Teisan sbwnj a jam yn y canol.'

'Tydi hogia ddim yn cwcio na gweu,' medda Megan Tŷ Crwn.

'A does gen inna ddim gardd i dyfu moron chwaith,' medda Emlyn.

'Paid â bod yn wirion,' medda Maldwyn. 'Fysan nhw

ddim yn tyfu fawr ddim mewn tri diwrnod beth bynnag.'

Wel i chi, mi fuo'r ddau'n ddistaw fel llygod am hir iawn ac yn sydyn dyma Maldwyn yn neidio i fyny.

'Y feri peth!' medda fo dan weiddi a dechra dawnsio rownd yr ardd, 'Y feri peth! *Class one hundred and six. Poli parrot or cockatoo.*'

'Sgin ti'r un,' medda Emlyn Parc.

'Nag o's,' gwaeddodd Maldwyn gan neidio i fyny ac i lawr fel mwnci, 'ond mae gin dy Yncl Jac di un.'

'Ew,' medda Emlyn, 'fysa Yncl Jac, sy 'di bod ar y môr a rownd yr Horn dair gwaith, byth yn gadael i chdi fenthyca Harri Morgan.'

'Yli, tasan ni'n dŵad yn gynta mi fysan ni'n cael pedwar swllt. Digon o licris bol i bara am fisoedd.'

Gadewis i'r hogia achos roedd gen i hen job gas ofnadwy i' neud. Roedd rhaid i mi hel gwsberis i Mam iddi hi gael trio yn y gystadleuaeth *fruit tart on a plate*.

Dwi'n licio casglu bloda bach, a hel mwyar duon efo'r criw, a wya cynnas o nythod yr ieir, ond fedra i ddim diodda hel ffrwythau. Mae'r cyraints duon yn codi'r bendro arna i, maen nhw mor fychan a chymaint ohonyn nhw, ac mi fydda i'n blino wrth blygu i lawr yn hel mefus. Ond ych-a-fi, mae hel gwsberis yn un o'r petha mwya annifyr i'w gneud mewn gardd.

'Sdim ots pa mor ofalus ydw i, dwi'n siŵr o gael cripiada ar 'y nwylo a 'mreichia, rhai gwaeth o lawer na chripiada cath wedi gwylltio. A waeth imi heb â defnyddio menig achos mae hynny'n gneud y job ddiflas yn anoddach fyth. Bydd y pwytha'n mynd yn sownd yn y brigau a phob dim yn mynd yn lobsgows. Tydi gwsberis yn dda i ddim i fwyta chwaith achos dim ots faint o siwgwr rowch chi arnyn nhw, mae'u surni'n siŵr o binsio'ch bocha chi tu mewn. Mae isio difa'r holl goed gwsberis yn y wlad, ddweda i.

Welis i mo'r criw tan noson wedyn. Roeddwn i'n meddwl eu bod nhw'n gneud rhwbath nad oeddan nhw ddim i fod i' neud. Roeddwn i'n iawn. Ges i hyd i Maldwyn ac Emlyn yn y Cwt Pow-Wow ar Ochr Cyt. Roedd yna andros o sŵn yno a phan agoris i'r drws, dyna lle'r oedd Maldwyn ac Emlyn efo jac-do mewn hen fasged o'r becws.

'Be sy'n matar ar y creadur?' gofynnais iddyn nhw.

'Dim byd,' medda Emlyn. 'Maldwyn sy wedi'i ddal o yng nghae Penmownt ac mae o am 'i ddysgu fo siarad fel poli parot erbyn y sioe.'

'Wel am hurt,' medda fi. 'Jac-do ydi jac-do.'

'Roeddan ni'n meddwl y bysan ni'n sticio tipyn o blu Harri Morgan arno fo,' medda Maldwyn.

A dyma fi'n deud wrthyn nhw nad oedd ganddyn nhw ddim hôps mul mewn ras geffyla, achos roedd 'na ddynion mewn cotia gwyn efo bathodynnau pwysig oedd yn gwybod be 'di be yn 'studio'r adar yn y sioe. Eu 'studio nhw o'u pen i'w traed a'u troi nhw ypseid down i wbod yn iawn p'run 'di'r gora.

'O wel,' medda Maldwyn wrth ollwng y jac-do allan i Ochr Cyt, 'rhaid i ni anghofio am ennill.'

'A'r taffi buwch,' medda Emlyn yn ddigalon.

Beth bynnag, dwi'n gwbod na fysa Harri Morgan ddim yn ennill achos mae 'na boli parot gwyn yn y sioe bob blwyddyn. Poli Puw ydi'i enw fo. Captan Puw sy'n byw yn Pen Cei pia fo. Does gan Captan Puw ddim llong, na hyd yn oed gwch. Mae o dest yn ista ar y cei yn gwylio cychod pobol eraill ac yn deud ei hanas yn hel cangarŵs yn y jyngl yn Ostrelia. Fan'no y cafodd o hyd i Poli Puw medda fo. Fydd o'n deud ei storis mynd rownd y byd yn y Ship Inn, yn enwedig wrth bobol ddiarth ac mi fydd y rheini'n prynu rym iddo fo.

Poli Puw fydd yr unig boli parot yn y sioe. Fydd o yno ar gornel y llwyfan, yn unig, ac mi fydd y plant yn mynd ato a gweiddi, 'Faint ydi hi o'r gloch, Poli? Be 'di dy enw di, Poli?'

Mi fydd Poli Puw yn atab 'run fath i bob cwestiwn: 'Cau dy geg, Captan Puw.'

Mae Dad yn deud bod Poli Puw yn hŷn na Captan Puw, ac mae Captan Puw yn hen ofnadwy achos mae'i groen o wedi crychu'n fwy na chroen Nain. Mae tad Maldwyn yn deud mai gweithio ar y fferi yn Lerpwl oedd Captan Puw a'i fod o wedi prynu'r poli parot yn y farchnad yn Birkenhead.

Roedd 'na le ofnadwy yn tŷ ni dydd Sul cyn y sioe—jam mafon ddaru Mam neud dydd Sadwrn heb setio ac roedd raid iddi'i ailferwi o. Y fi gafodd y job ddiflas o dywallt a chrafu'r jam yn ôl i'r sosban ac ailolchi'r potia. Wedyn ddaru hi ddarganfod bod Dad wedi defnyddio'i labelau jam sbesial ar ei botia mêl.

Roedd Dad fel tincar ar lwgu a dyma fo'n agor y popty i weld oedd y cinio'n barod a dyma *Victoria sponge* Mam oedd yn digwydd bod yn y popty ar y pryd yn mynd yn fflat. Roedd Dad fel cyw bach â'i big yn 'gorad yn swnian isio bwyd.

'Lle mae'r cinio 'ma, Meri?' medda fo. 'Ty'd! Mae gen i waith gneud y cewyll at y sioe.'

'Rhaid i ti aros!' medda Mam.

'Fedra i ddim,' medda Dad. 'Mae'n rhaid imi ail-drefnu'r adar, mae'r Norwich Canary wedi dechra mowltio.'

'Dos o 'ma, Robin,' medda Mam â'i gwallt hi'n cyrlio'n ffwdan rownd ei phen hi. 'Dos o 'ma cyn i minna ddechra mowltio.'

Amsar hynny ddaru mi fynd i dŷ Nain.

'Hidia befo, Gwenno bach,' medda Nain. 'Gei di'n helpu fi i gyrlio 'ngwallt efo'r tongs iddo fo fod yn ddel dan fy het i yn y sioe. Fydd pob dim yn iawn fory, gei di weld.'

Ac mi roedd pob dim yn iawn, tan amsar te.

Pan es i i'r Town Hall yn y bora i neud fy mwrdd bach bloda, roedd Emlyn a Maldwyn yno efo cawell mawr. A be oedd ynddo fo ond Harri Morgan, poli parot Yncl Jac.

'Sut cawsoch chi fenthyg Harri Morgan?' gofynnais.

'Mae Yncl Jac yn sâl yn ei wely, wedi cael gormod o haul wrth hel cocos,' medda Emlyn, 'ac rydan ni'n gofalu am y deryn nes bydd Yncl Jac yn well.'

Bûm yn brysur efo fy mloda bach. Ges i fenthyg lliain les Nain i roi dros y bwrdd ac wedyn wnes i roi *marigolds, candytuft* a *jipsophelia* ym mhob cornel, a'r un fath yn y canol efo pys pêr a lafant. Roedd hyd yn oed Emlyn Parc yn meddwl eu bod nhw'n ddel iawn.

Mae pawb yn gorfod gneud pob dim yn barod erbyn un ar ddeg o'r gloch, a ddim yn cael dod yn ôl i'r Town Hall tan hanner awr wedi un, achos mae'r bobol cotia gwyn yn mynd rownd i ddeud pwy ydi'r gora.

Pan ddaru ni fynd yn ôl roeddwn i wedi cael ail am fy mloda bach. Chafodd Mam ddim byd am ei jam. Roedd yna nodyn wrth y pot yn deud *over boiling* ond mi gafodd hi gynta am ei theisan gwsberis a bwnsiad o bys pêr.

Cafodd Dad gynta am ei iâr caneri a medal *Daily Post* am ei bod hi'r caneri gora yn y sioe. Mae Dad wedi rhoi benthyg y fedal i mi am chydig cyn iddo'i rhoi hi yn y cwpwrdd gwydr. Mae hi'n gorwedd ar wely melfat mewn bocs bach glas. Mae Dad yn deud y gneith o roi tsiaen arni i mi ei chael hi rownd 'y ngwddw pan fydda i'n hogan fawr.

Roedd Megan Tŷ Crwn yn crio yn y gornel am ei bod wedi cael y wobr gynta am ei phwrs. Cafodd poli parot Maldwyn ac Emlyn gydradd gynta efo poli parot Captan Puw. A dyma ni i gyd i'r *ante-room* i nôl panad.

Fan'no'r oeddan ni'n cael hwyl a mwynhau pan ddaeth Lynwen Frazer yno'n grand i gyd mewn ffrog newydd mynd-i'r-haul, a bolero bach del dros ei hysgwyddau a sandalau gwyn meddal am ei thraed. Ew, roedd hi'n smart, ond wnes i ddim deud wrthi hi chwaith. Dest deud ein bod ni i gyd wedi ennill.

''Nest ti ennill rhwbath, Lynwen?' gofynnodd Maldwyn.

A dyma hi'n deud nad oedd hi'n cael trio dim byd achos bod ei thad hi'n llywydd y sioe a bod ei mam hi'n cyflwyno'r cwpanau arian. Fuo hi'n ein holi ni am ein gwobrau a dyma hi'n deud nad oedd Harri Morgan ddim cystal â Poli Puw.

'Be wyddost ti am boli parots?' gofynnodd Maldwyn.

A dyma hi'n deud bod ganddi hi lyfr adra oedd yn deud pob dim amdanyn nhw. Fuo hi'n herian Maldwyn a deud nad oedd Harri Morgan yn ddof ac na fysa fo byth yn sefyll ar fraich Maldwyn fel roedd Poli Puw yn neud i Captan Puw.

'Yli,' medda Maldwyn, 'rydan ni wedi ennill dau swllt. Fetia i di ddau swllt y bysa Harri Morgan yn sefyll ar 'y mraich i.'

Wedi i ni orffan ein te dyma ni i gyd yn mynd yn ôl i'r neuadd at yr adar. Doedd 'na neb o gwmpas cornel y llwyfan ac roedd y poli parots â'u penna dan eu hadenydd. Tebyg eu bod nhw wedi blino clywad pobol wirion yn gweiddi 'Faint ydi hi o'r gloch, Poli?' bob munud.

Dyma Maldwyn yn agor drws y cawell a deud, 'Ty'd Harri Morgan, ty'd rŵan,' a dyma fo'n stwffio'i law trwy'r adwy.

'Jiwio ydi peth fel yna,' medda Lynwen. 'Rhaid i ti ddŵad â'r deryn allan a'i gael o i sefyll ar dy fraich di.'

Ac fel roedd Maldwyn yn meddwl beth oedd y peth gora i' neud dyma 'na lais dwfn dros ein hysgwyddau, nes ddaru ni i gyd neidio fel tasan ni mewn hunllef. 'Be 'dach chi'n neud, y cnafon?' Dic Torri Beddi oedd yno, wedi sleifio i fyny yn ei sgidia dal ieir i weld beth oeddan ni'n neud.

Wrth i Maldwyn neidio mi dynnodd ei fraich yn sydyn o'r cawell ac anghofio cau'r drws. Fel yna mae plant bach. Mae'n hawdd anghofio pan fyddwch chi'n cael eich dychryn.

Fuo Harri Morgan ddim chwinciad nad oedd o allan ac yn rhyw hannar fflio a hannar neidio o un bwrdd i'r llall yn pigo ac yn poitsio. Mi gerddodd fel paen â'i adenydd ar led rhwng y potia tal oedd yn dal y *gladioli* nes oeddan nhw'n mynd i lawr fesul dau fel pinna bowlio yn Ffair Criciath, a dŵr yn pistyllio i'r llawr.

Welis i 'rioed y ffasiwn le yn y Town Hall o'r blaen. Roedd pobol yn rhedag o gwmpas yn trio dal y deryn, a'r plant yn chwerthin am ben y rhai oedd yn methu. Aeth tad Lynwen Frazer ar ben y llwyfan a gofyn i bawb fod yn ddistaw a llonydd a gadael i Mr Dic Roberts y stiward ddal y deryn.

Roedd Harri Morgan ar y bwrdd teisenna erbyn hyn ac yn dechra pigo sgons. Wedyn mi neidiodd ar deisan gyraints fawr a throi clos.

Dyna pryd y gwelodd Dic Torri Beddi ei siawns mae'n debyg, ac mi neidiodd ar ben y poli parot a'r deisen gyraints nes dymchwal y bwrdd a'r cwbl i lawr yn fflat. Aeth pob man yn ddistaw, ddistaw. Roedd Dic Torri Beddi'n ista yng nghanol y teisenna a Harri Morgan wedi mynd i glwydo ar ben y piano.

Welis i Mam a mam Maldwyn yn mynd yn slei am y drws allan. Wedyn dyma Yncl Jac Emlyn mewn welingtons hel cocos a phyjamas yn stwffio'i ffordd trwy bawb. Roedd Emlyn wedi rhedag i'r tŷ i'w nôl o heb i neb wbod.

'Be haru ti'n dychryn adar diniwad, dywad?' medda fo wrth Dic Torri Beddi. 'A be wyt ti 'di'i neud i 'mholi parot i?'

A dyma Yncl Jac yn rhoi'i ddau fys yn ei geg a chwibanu a galw:

'Ty'd, Harri Morgan. Rydan ni'n docio mewn dau funud.'

A wir i chi dyma Harri Morgan yn fflio i lawr a landio ar ysgwydd Yncl Jac Emlyn.

'Chi a'ch sioe bin,' medda fo wedyn a ffwrdd â fo adra yn ôl i'w wely.

Ma'n nhw'n deud na ddaru Dic Torri Beddi ddim brifo ond mae o'n flin o hyd achos mae pawb yn ei holi o am ei sgidia dal poli parots.

Mi gafodd teisan gwsberis Mam ei sgwasio dan fol Dic ac mi gafodd Maldwyn chwip din a mynd i'w wely heb swpar.

Ar ôl helpu clirio a dod adra es i i gefn tŷ Maldwyn a lluchio graean at y ffenast llofft lle mae o'n cysgu. Mi ddaeth o i'r ffenast. Roeddwn i'n meddwl y bysa fo'n drist ond doedd o ddim.

Roedd rownd ei geg o'n ddu pan oedd o'n gwenu. Daliodd fawd un llaw i fyny a chwifio'r ffon licris bôl efo'r llall.

MYND I LUNDAIN

Wn i ddim pam rydan ni'n mynd i Lundain ar ein gwyl-iau wir.

Fydd Nain yn deud, 'Cuddia di dy bwrs yn dy nicars rhag ofn i rywun ei ddwyn o,' ac yn fy rhybuddio i afael yn sownd yn llaw Mam rhag ofn i rywun fy nwyn i.

Lle ofnadwy sydd yno os ydi pobol yn dwyn pres a phlant bach.

Ond mynd rydan ni ac mi fydda i'n mwynhau fy hun bob amser ac yn edrych ymlaen at y tro nesa.

Mae Llundain yn bell, bell o Borthmadog. Mae o mor bell nes bydd Mam yn gorfod gneud picnic inni gael pryd o fwyd ar y trên wrth fynd. Ddaru Dad ddangos i mi lle mae Llundain ar y map. Mae Port ochr chwith i'r dudalen a Llundain ar y dde ac mae isio ista am tua wyth awr i fynd yno, a newid trên fwy nag unwaith yn ogystal ag yn Afon-wen.

Am fod Dad yn gweithio efo GWR rydan ni'n cael tocyn i fynd am ddim, a bydd rhaid dal y trên yn fora, fora. Fydda i'n licio ista wrth y ffenast a gweld y wlad yn bell ac agos.

Ar ôl newid yn Afon-wen a mynd wedyn am G'nar-fon mi fyddan ni'n gweld y wawr yn torri a'r cwningod yn chwara ar y dolydd rhwng Ynys a Groeslon. Fyddan ni ddim yn stopio mewn ambell i stesion ac mi fydd y platfform a'r adeiladau'n mynd heibio'n un streipan frics a'r polion ffensio fel dannadd crib.

Mae'r seti'n braf, fel stwff soffa Nain, ac mi fedrwch chi gysgu arnyn nhw os ydach chi wedi blino. Mae 'na lunia ar y wal uwchben y seti: llunia lan y môr Penmaen-mawr a'r Bermo a lle o'r enw Weston-Super-Mare. Uwchben y ffenest mae 'na tsiaen rybudd i dynnu tasach chi wedi colli rhwbath trwy'r ffenast ac isio stopio'r trên i'w nôl o. Ofnadwy fysa i rywun syrthio allan a neb y tu mewn i dynnu'r tsiaen.

Fydd y trên yn wislo cyn mynd trwy dwnnel ac amser hynny bydd pawb yn cael panics i gau ffenestri neu mi fydd mwg ym mhob man a smotia duon ar wyneba pawb fel pwdin cyraints *Spotted Dick*.

Fydd Dad yn nodi rhifau injans wrth fynd. Mae o'n deud mai'u hel nhw i mi mae o, ond dwi'n gwbod ei fod o wrth ei fodd yn gneud iddo fo'i hun, achos mae o'n f'atgoffa fi o Maldwyn wrth ei fodd yn hel penbyliaid, neu pan mae o wedi ennill marblan nad oes ganddo un 'run fath.

Fydda i'n gwbod pan fyddan ni'n nesu at Lundain oherwydd mae fferm Ovaltine a ffactri sôs a siocled wrth ochr y rheilffordd a fydd 'na ddim caeau wedyn dest adeiladau mawr ac olion boms nes bydd y trên yn stopio yn stesion Euston.

Yn nhŷ Anti Emily ac Yncl Harri y byddwn ni'n aros yn Llundain. Tydi o ddim yn dŷ cyfa, dest hannar tŷ achos pan ydach chi'n agor drws y ffrynt does 'na ddim byd i weld ond grisia ac wedi i chi ddringo i fyny mae cegin a pharlwr a phob dim yn y llofft. A wyddoch chi be, mae isio mynd i lawr y grisia haearn wedyn i gyrraedd yr ardd yn y cefn ond tydi hi ddim yn ardd go-iawn—dest lle sgwâr i roi lein ddillad ac i'r gath gael mynd am dro.

Yn Dolis Hill mae hanner tŷ Anti Emily, mewn stryd fel stryd New Street yn Port lle mae Nain yn byw. Mae gan Yncl Harri siop gwerthu ffrwytha mewn stryd arall.

Bu Yncl Harri yn y rhyfal lle cafodd o fedal a thwll yn ei foch efo bwlat, ond tydi o ddim yn hyll chwaith. Mae o fel Dad, yn bryfoclyd. Mae o'n deud 'mod i'n swil, a bydd yn fy nynwared i'n cuddio y tu ôl i 'mraich.

Mae Yncl Harri yn siarad Cymraeg, ond tydi Anti Emily ddim, achos chafodd hi ddim dŵad i Gymru i gael ei geni. Fedar hi ddim siarad Saesneg yn iawn chwaith. Dwi'n medru siarad chydig o Saesneg a dwi'n deall peth hefyd ond mae'n anodd deall iaith Anti Emily achos mae hi'n siarad fel tasa ganddi hi lond ei cheg o daffi buwch a tydi hi ddim yn gorffen ei geiria. Maen nhw'n rhyw hongian yn yr awyr fel pry llwyd.

Fel Anti Janat does ganddi hi ddim plant bach i ofalu amdanyn nhw ond fydd hi ddim yn fy sgwasio fi, dest gwenu'n annwyl, mwytho 'ngwallt i a 'ngalw fi'n 'Li'l Pet Gel' a 'Li'l Lyf'.

Fydd Dad, Mam a fi yn cael brecwast yn yr hannar tŷ ac wedyn fyddan ni'n mynd i ganol Llundain trwy'r dydd o'r ffordd. Weithia ar ddybl decar coch, a weithia ar drên twrch daear.

Ges i lot o storis gan Yncl Harri am bobol yn mynd i gysgu yn stesions y trên twrch daear amsar rhyfal rhag ofn i'r boms eu lladd nhw. Ofnadwy o beth bod dan ddaear trwy'r nos fel tasach chi wedi marw ac yn gwbod hynny. Ew, ofnadwy!

Rhaid mynd i lawr i fol y ddaear ar y grisia symud i

gyrraedd stesions y trên twrch daear. Dwedodd Mrs Mathias yn ’rysgol Sul mai i lawr yng nghrombil y ddaear mae uffarn lle mae’r Diafol yn byw. Sgwn i faint o ffordd sydd yna o Stesion Picalili, i lawr, i lawr, nes dowch chi i gartra’r Diafol? Ofnadwy o beth tasa’r grisia symud ddim yn stopio a chitha’n cyrraedd y Tân Mawr heb neud dim drwg.

Beth bynnag, ar wahân i’r ffaith nad ydw i isio landio yn uffarn, well gen i fynd yn y bysys dybl decar coch. Rydw i’n medru gweld mwy o Lundain felly.

Roedd Mam isio mynd i weld y *Nurses’ Home* lle’r oedd hi’n byw pan oedd hi’n nyrsio yn Llundain erstalwm, ond doedd ’na ddim golwg ohono. Roedd y Jermans wedi’i fflatio fo.

Lwc fod Mam ym Mhorthmadog!

Welis i lot o lefydd oedd wedi cael eu bomio. Dwi wedi gweld eu llunia nhw yn y *Picture Posts* sy yn nhŷ Nain ond mae’u gweld nhw go-iawn pan mae’r haul yn t’wnnu arnyn nhw’n fwy trist o lawar.

Welis i eglwys fawr oedd ddim yn eglwys dim mwy. Dest plisgyn du o gerrig heb do, a chwyn yn tyfu lle’r oedd pobol wedi bod yn gweddïo ar Iesu Grist i atal y boms.

Mae’n siŵr ei bod hi’n andros o job i hyd yn oed Iesu Grist atal rhyfal mawr y byd.

Ddaru ni basio un tŷ oedd fel tasa cyllell fara cawr wedi’i sleisio fo trwy’i ganol. Roedd olion fframia pictiwrs i’ weld ar y muria yn y parlwr a’r llofft ac ôl y mwg wedi baeddu’r papur bloda uwchben y grât. Sgwn i pwy oedd yn byw yno? Sgwn i oedd ’na hogan bach yn cysgu yn y llofft fel dwi'n gneud yn Port? Pwy bynnag oedd yno, gobeithio'u bod nhw wedi cael tŷ newydd neu o leia hannar un fel sydd gan Anti Emily 'te.

Roedd ambell i le o gwmpas y ddinas fel y wlad y bydda i'n weld yn sîrial Flash Gordon yn y matinî. Dest lle fflat efo lot o rwbal a llwch a mwd. Yma ac acw roedd pobol wedi rhoi cytia cwningod fel sydd gan Dad yn yr ardd, rhai hannar crwn wedi'u gneud o baneli sinc. Roeddan nhw fel twneli bach yma ac acw ar y caeau rwbel.

'Ylwch, Dad,' medda fi, 'mae yma bobol yn cadw cwningod. Ydach chi'n meddwl eu bod nhw'n cadw Chinchillas a Blue Rex fel oedd ganddoch chi erstalwm, Dad?'

A dyma Mam yn deud nad cwningod oedd yn byw yn y twneli to sinc ond pobol oedd heb dai ar ôl i'r Jermans chwalu pob dim yn racs jibidêrs.

'Beth am i ni ddeud wrthyn nhw fod 'na dai gwag yn Pen Cei a Thremadog?' medda fi.

Ond roedd Mam yn deud bod pobol Llundain yn licio bod yn Llundain. Rhyfadd, a nhwtha heb le i fyw rŵan.

Yn y nos fyddan ni'n cael swper efo Anti Emily ac Yncl Harri ac wedyn fyddan ni'n mynd efo nhw allan am dro i weld consart i lefydd tebyg i'r Coliseum. Does 'na ddim ffilms yno, dest pobol go-iawn yn actio a chael hwyl fel yn y Town Hall yn Port.

Un lle ddaru ni fynd oedd y Victoria Palace lle'r oedd 'na ddwy galeri. Fuon ni'n chwerthin am ben dynion hurt o'r enw y Crazy Gang. Roeddan nhw'n gneud hwyl ac yn canu. Doeddwn i ddim yn deall be oeddan nhw'n ddeud ond roedd y petha roeddan nhw'n neud reit ddigri.

Fuon ni mewn lle mawr consart arall o'r enw Palladium. Roedd yno dwll mawr o flaen y llwyfan a phobol mewn dillad pengwins yn chwara band i mewn yn y twll. Roedd yno res o enethod del yn dawnsio mewn dillad trochi ar y llwyfan, ac yn cicio'u coesa i fyny yn yr awyr, a wyddoch chi be, ddaru'r un ohonyn nhw neud mistêc na disgyn i'r twll band. Dwi'n siŵr y bysa Mam yn un dda yn y rhes achos fydd Dad yn deud o hyd fod ganddi hi goesa fel Betty Grable.

Dwi am ofyn i Mrs Mathias yn 'rysgol Sul gawn ni neud consart fel yna amsar Dolig. Fysa fo dipyn o newid o stori Mair a Joseff yn mynd i Fethlehem.

Fuon ni'n gweld castall o'r enw *Tower of London* lle'r oeddan nhw'n torri penna pobol ddrwg erstalwm. Roedd y bobol ddrwg yn cael mwgwd dros eu llygaid ac yn gorfod rhoi'u penna i lawr ar flocyn torri pricia tân ac aros am y fwyell. Am andros o beth cael torri'ch pen i ffwrdd a chitha'n gwbod eu bod nhw'n mynd i neud.

Welis i dad Dilys Felin yn torri pen ceiliog i ffwrdd. Mam Dilys oedd isio cig i neud cinio dydd Sul achos doedd ganddi hi ddim cwpons i fynd i siop bwtsiar. Rhedodd y ceiliog heb ben yn ôl i'r cwt ieir. Sgwn i oedd y bobol ddrwg yn Llundain yn rhedag o gwmpas y tŵr heb benna? Andros o beth bod heb ben. Sut bysan nhw'n gwbod lle i fynd?

Roedd 'na soldiwrs yn gofalu am y tŵr. Er eu bod nhw'n cario picfach doeddan nhw ddim yn edrych fel soldiwrs o ddifri. Roeddan nhw'n gwisgo ffrogia coch ac yn edrych fel dynion gwirion mewn carnifal.

Ddaru Dad ddeud mai Girl Geids henffasiwn oeddan nhw, a dechreuis i biffian chwerthin pan ddaru o ddeud wrth Mam am fynd i ofyn i'r soldiwrs p'run ai tronsia bach ynta blwmars oeddan nhw'n eu gwisgo dan eu sgerti.

Sbio'n gas ddaru Mam, ac roedd golwg reit flin ar un o'r soldiwrs hefyd.

A sôn am ffrogia, mae 'na lot o siopa yn Llundain yn gwerthu dim byd ond dillad crand. Mae'n siŵr fod rhaid iddyn nhw gael siopa fel yna yn y ddinas er mwyn i'r Frenhines fedru mynd i brynu dillad iddi hi'i hun a'r Dywysoges Elisabeth a'r Dywysoges Margaret. Roedd un siop a chymaint o ffenestri â siopa Stryd Fawr Port i gyd efo'i gilydd.

Y ffrogia dawnsio llaes oeddwn i'n hoffi fwya, rhai silc a sidan o bob lliw'r enfys a lliwiau nad oeddwn i wedi'u gweld o'r blaen. Roedd 'na berlau a gemau ar rai, ac mi fysach chi'n taeru bod 'na dân ffeiarwyrcs wedi'i wnïo i ddefnydd ambell un. Ew, roeddan nhw'n dlws.

Roedd 'na un ffrog roeddwn i'n licio'n ofnadwy. Roedd hi'n bwnsio allan fel ffrog Sunderela welis i mewn llyfr storis yn nhŷ Nain. Ffrog wedi'i gneud o ddefnydd fel plu'r gweunydd, a gwe pry cop arian dros y sgert a rownd y gwddw. Gafodd Mam job i fy symud i oddi wrth y ffenest. Fyswn i wedi medru sefyll yno drwy'r dydd yn syllu arni.

Mae Dad yn deud neith o drio prynu ffrog ddawnsio i

mi pan fydda i'n hogan fawr i mi gael mynd i'r dawnsfeydd yn y Town Hall yn Port. A dwi'n meddwl pan fydda i wedi tyfu i fyny y bydda i isio gneud ffrogia fel yna, a'u rhoi nhw yn y ffenast yn ddel.

Fuon ni mewn lle crand ofnadwy yn cael bwyd, lle o'r enw Lyons Corner House. Mae llun y caffi crand wrth fy ymyl i'n fan'ma achos ddaru Dad brynu cerdyn post i mi gael dangos i fy ffrindia lle'r o'n i'n bwyta ar fy ngwylia. Bron y medra i arogli'r bwyd wrth edrych ar y llun.

Roedd 'na fyrddau bach del ym mhobman, a band ar lwyfan bach yn y ffrynt. Ddim band fel band Slafesion Rarmi na fel band Stiniog amsar carnifal, ond fel band i ddawnsio yn y ffilms a'r dynion wedi'u gwisgo mewn dillad coch a thei bô.

Ddaru Dad fynd i ofyn fysan nhw'n canu i mi am fy mod i'n cael fy mhen blwydd, a wyddoch chi be, mi ddaru'r dyn efo ffon fel ffon dyn arwain cymanfa yn y capal ddeud yn Saesneg bod Gwenno Catrin Lewis o *Welsh Wales* yn cael ei chinio ar ei phen blwydd a ddaru'r band chwara *'Teddy bears' picnic'* a *'Happy birthday'*.

Mi sefis i ar y sêt i bawb gael gweld pwy oedd Gwenno Catrin o *Welsh Wales* a ddaru pawb glapio. O diar, es i'n swil i gyd wir pan oedd pawb yn sbio.

Ar ôl cinio mi ges i bwdin sbesial, a dyna'r pwdin gora dwi wedi'i gael erioed. Roedd o mewn gwydr tal fel fôs floda Festri Fach a llwy hir sbesial i'w fwyta fo. Roedd pob math o betha blasus yn y pwdin: jeli yn y gwaelod ac wedyn eis crîm ac wedyn eirin gwlanog a mwy o eis crîm a cheirios a mwy o eis crîm a mefus a dwi ddim yn cofio pob dim wir achos roedd o'n ormod o bwdin i mi'i gofio. Roedd o mor fawr nes roedd raid i mi sefyll i' fwyta fo achos dyna'r unig ffordd imi fedru cyrraedd y gwaelod i gael y jeli i gyd!

Rydw i'n falch o fod adra ym Mhorthmadog rŵan ond mi wnes i fwynhau fy hun yn Llundain ac rydw i'n edrych ymlaen i gael mynd yno eto flwyddyn nesa.

Mi brynis i gwpan a llun y Frenhines arni i Nain a jwg siafio a llun y Brenin arno fo i Taid. Mae gen i farblis i Maldwyn, rhai bob lliw fedrwch chi mo'u prynu ym Mhorthmadog, a phensal *Tower of London* efo rwbiwr yn sownd yn y pen i Megan Tŷ Crwn.

Fyddan nhw wrth eu bodd.

Phrynis i ddim byd i Lynwen Frazer. Geith hi dest gweld y cerdyn post a llun y caffi crand arno fo.

Llyfr droio, creions a bocs paent brynis i i mi fy hun, achos mae gen i lot o lunia ffrogia i' neud erbyn y bydda i'n hogan fawr ac yn cadw siop. Sgwn i ddaw'r Dywysoges Elisabeth a'i chwaer i brynu un o'm ffrogia i? Fysa raid i mi gael fy siop yn Llundain felly yn bysa achos fyddan nhw byth yn dŵad i Port. Dwi'n siŵr y dôn nhw i'm siop i yn Llundain achos mae ganddyn nhw ddigon o le i gadw'u dillad yn y palas mawr 'na.

I ddeud y gwir mae gan y Brenin a'i deulu fwy na digon o le i fyw. Rydw i wedi gweld eu tŷ nhw. Ddaru Dad a Mam fynd â fi i weld Palas Buckingham cyn dod adra. Ew, am le mawr! Mae o'n fwy nag anfarth! Pan mae hi'n amser mynd i'r gwely, tebyg nad ydi'r tywysogesau bach yn medru cael hyd i'w gwelyau mewn ffasiwn le. A dwi'n siŵr nad ydyn nhw'n gwbod ble i fynd i nôl brecwast ar ôl codi yn y bore.

Tebyg fod yna lawer o ystafelloedd gwag yn dda i ddim yno hefyd.

Methu deall ydw i, gan fod yna gymaint o le yn y palas, pam na rôn nhw rai o'r bobol sydd heb dŷ ar ôl y boms i aros yno nes bydd eu tai newydd nhw'n barod, rhag iddyn nhw orfod byw mewn cytiau fel anifeiliaid?

Fysa fo'n gneud sens!

FY SOSBAN

Es i â'm sosban efo fi i'r seidings heddiw rhag ofn y bysan ni'n chwara tŷ bach.

Roeddwn i'n meddwl y byd o'm sosban achos gan Nain y ces i hi. Un go-iawn enamel wen oedd hi ag ymyl las a phen ôl glas tywyll. Roedd hi bron yn newydd ac yn un handi goblyn â thwll yn yr handlan i'w hongian hi yn y cwpwrdd.

Roedd pawb wedi meddwl am gêms yn y seidings achos roedd Criw Ochr Cyt i gyd yno. Hyd yn oed y gennod a'r hogia mawr sydd wedi symud i'r Cownti Sgŵl.

Fuo Maldwyn a fi am dro yn hel mwyar duon a gwylio'r cwningod yn chwara yng nghae Penmownt.

Wedi cyrraedd yn ôl yn y seidings roedd pob man yn ddistaw.

'Mae pawb wedi mynd adra,' medda Maldwyn. Ond dyma ni'n gweld pen ôl a choesa Emlyn Parc yn sticio allan o un o'r wagenni.

'Lle mae pawb?' gofynnodd Maldwyn.

'I mewn yn y wagan yn cael consart,' medda Emlyn.

'Does yna ddim canu i' glywad,' medda finna. 'Be sydd yn y consart?'

'Marta Morgan yn actio Marlene Dietrich dwi'n meddwl.'

Tydi Marta ddim yn Gymraes. Rhyw hannar Cymraes, hannar Saesnes a hannar rwla ochr draw i lle mae'r Jermans yn byw. Mae ganddi hi wallt gola, gola fel gwenith a llygaid 'run lliw â'r lliw glas fydd Mam yn ei doddi yn y dŵr rinsio dillad. Fysach chi'n meddwl ei bod hi'n dlws, ond tydi hi ddim achos mae hi'n dena, dena ac mae'i llygaid hi braidd yn sgi-wiff.

Dyma Maldwyn a finna'n stwffio heibio i Emlyn i weld y consart a dyna lle'r oedd Marta, â phlu gw'lanod yn ei gwallt ac eiddew rownd ei chanol, yn dawnsio heb gerpyn amdani.

Beth bynnag, es i i hel mwy o fwyar duon tra oedd Maldwyn yn cadw cwmpeini i Emlyn Parc.

Ddaru nhw ddim aros yn hir. Glywis i'r hogia mawr yn deud nad oedd Marta ddim byd ond llygaid croes a dannadd. A glywis i Owi Wirion, sy wedi gadael 'rysgol ond heb dyfu i fyny eto, yn deud, yn ei lais papur sidan, bod 'na well siâp ar yr ŵydd gawson nhw Dolig.

Er bod cydau pys bach yr eithin wedi ffrwydro ers tro roedd hi'n dal yn boeth ac roedd sychad ofnadwy ar Maldwyn a fi. Doeddwn i ddim isio mynd adra neu fysa Mam yn rhoi hen jobsys diflas i mi neud fel golchi llestri.

'Beth am neud Vimto mwyar duon?' medda Emlyn.

‘Sut mae gneud Vimto mwyar duon?’ gofynnais.

‘Wel efo mwyar duon siŵr,’ medda Emlyn wedyn. A dyma fo’n tynnu un o’i welingtons a’i llenwi hi â dŵr o’r ffos.

‘Ych-a-fi,’ medda Megan Tŷ Crwn oedd yn siglo dillad Marta yn ei mynwes am mai hi oedd wedi cael y job o ofalu amdanyn nhw. ‘Wyt ti ’rioed yn mynd i roid y dŵr ’na ar y mwyar duon?’

‘Dew, fydd o’n iawn wedi berwi,’ medda Emlyn gan dywallt y dŵr ar ben y mwyar duon yn fy sosban. ‘Fel hyn maen nhw’n gneud gwin yn Sbaen medda Yncl Jac sydd wedi bod ar y môr. Mae o wedi bod rownd yr Horn dair gwaith ac wedi gweld lot. Wyddost ti fod pobol Sbaen yn rhoi llygod mawr yn y gwin i roi cic ynddo fo?’

A dyma Megan Tŷ Crwn yn chwydu ar ben dillad Marta.

Roedd gan Maldwyn fatsys fel bob amsar a dyma hel rhedyn sych a phoethfal i neud tân reit handi, a dyma roi’r sosban arno i ferwi. Cyn pen dim roedd y mwyar yn ffrwtian, ac o diar, cyn pen dim wedyn roedd ’na ormod o dân a doedd dim posib gweld y mwyar na’r sosban.

Dyma Megan Tŷ Crwn yn dechra panicio a gweiddi, ‘Rhaid i ni gael Ffeiar Brigêd. Ffeiar Brigêd!’

‘Fedran nhw ddim dŵad â’r tendar ddim pellach na gatia’r crosin achos mae’r ffordd rhy gul,’ medda Maldwyn a’i wynab o’n dechra mynd yn wyn.

Dyma Emlyn yn rhoi ordors i bawb dynnu’u welingtons a’u llenwi nhw efo dŵr.

'Fel hyn fydda Yncl Jac yn diffodd tana ar y môr,' medda fo gan luchio dŵr y welingtons ar ben y tân.

A dyma Owi'n dechra gwylltio.

'Ewch adra'r diawlad bach. Fel hyn mae Yncl Owi yn rhoi tana allan.'

A dyma fo'n agor ei falog a dechra pi-pi ar yr eithin ac ar ben fy sosban i.

Rhedag adra heb stopio ddaru ni, a chwerthin main Owi yn tincian yn ein clustia ni.

Wn i ddim be wna i wir heb fy sosban. A be ddwedith Nain? Fedra i ddim deud wrthi 'mod i wedi'i llosgi. Fydd raid i mi ddeud c'lwydda. Peth ofnadwy ydi deud c'lwydda ond mae hi'n waeth colli sosban.

CÔR ELIN JÊN

Roeddwn i wedi edrych ymlaen i chwara gêm draffts efo Dad neithiwr ond roedd rhaid i mi fynd i bractis côr at y gwasanaeth Diolchgarwch.

Mae 'na lot o hen ymarfer diflas wedi bod ers wythnosa lawar. Mae 'na hen ddywediad medda Dad, 'Gormod o bractisys dagith y côr'.

Fel arfar rydan ni'n ymarfer pob dim yn y festri, ond roedd pobol wedi bod yn trwsio'r peipiau c'nesu, ac oherwydd y llwch roedd rhaid i ni fynd i dŷ Elin Jên i ganu.

Mae Miss Elin Jên Morris yn hen, hen a'i chroen fel tysan wedi'i sychu yn yr haul. Mae ganddi hi wallt gwyn tena fel gwe pry cop. Rydach chi'n medru gweld croen ei phen hi a lympia fel wyau robin goch yn sgleinio rhwng y cudynnau. Mae ganddi hi goesa fel coesa bwrdd Sêt Fawr ac mae'i bronna hi'n llaes fel pyrsia gwartheg Penmownt pan maen nhw yn yr adlodd.

Mae Elin Jên yn byw mewn tŷ ar ei phen ei hun. Mae o fel tŷ nad oes neb yn byw ynddo fo, achos does 'na ddim byd o'i le. Does 'na ddim cath, na chi, na dyn yn nhŷ Elin Jên, dest lot o ddodrefn, llyfra, rhedyn yn tyfu mewn potia pridd ac antimacasars ar bob dim.

Mi fu Elin Jên yn dysgu plant bach picaninis yn bell dros y môr sut i nabod Iesu Grist. Mae'n rhaid ei bod hi wedi gneud gwaith da achos mae Dad yn deud biti ei bod hi wedi dod adra.

Mae tad Maldwyn yn deud ei bod hi wedi priodi dyn du ond fedra hi ddim dŵad â fo adra oherwydd ei fod o wedi arfar cerddad yn y jyngl yn noethlymun, a fysa fo ddim yn medru gneud hynny yn Stryd Fawr Port. Ac felly mae Elin Jên wedi gorfod ei adael o yno yn y jyngl.

Sgwn i ydi o'n nabod Tarzan? Mi fydd rhaid i mi gofio gofyn i Elin Jên.

Cafodd Maldwyn a fi sbario mynd i'r côr achos ein bod ni wedi cael chwip din. Wn i ddim be ydi'r peth gwaetha, practis côr Elin Jên 'ta chwip din. Ac ar Elin Jên roedd y bai fod Maldwyn a fi wedi mynd i beryg a diodda cweir.

Roedd Maldwyn a fi'n cerddad adra o'r ysgol ar hyd Ochr Cyt, a dyma ni'n dechra taflu cerrig dan y bont sydd gyferbyn â thop Rhiw Siop Bessi. Ddaru ni glywad sŵn od a dyma 'na ddyn du fel adain y frân yn dod allan o dan y bont. Roedd o'n gafael yn ei ben.

'Ŵ,' medda fi, ''dan ni wedi'i gopio fo.'

'Naddo,' medda Maldwyn, 'mae o wedi brifo o'r blaen achos yli mae ganddo fandej ar ei ben yn barod.'

Ac mi oedd ganddo fo hefyd. Un glas a bathodyn yn ei ddal o efo'i gilydd. Doedd y dyn ddim yn flin. Dest gwenu fel giât a'i geg yn llawn o ddannadd fel noda piano. Wedyn dyma fo'n dod aton ni ac agor ces oedd yn llawn o ddillad silc. Dechreuodd siarad nes oedd ei ddannadd o'n clecian fel chwip a'i llgada fo'n troi yn ei ben fel top.

Doeddan ni ddim yn deall be oedd o'n ddeud a ddaru ni redag adra a deud wrth Dad. A dyma Dad yn deud mae'n siŵr mai gŵr Elin Jên o'r jyngl oedd wedi dod i chwilio amdani.

Cafodd Maldwyn de efo fi i ni gael mynd i ymarfer côr efo'n gilydd, ac ar y ffordd dyma ni'n gweld y dyn du yn ista'n ddigalon ar relings Capal Susnag. A dyma ni'n cofio llun Iesu Grist yn y festri a phlant bach pob lliw a llun ar ei lin.

'Be sy matar arno fo, dywad?' medda fi.

'Wedi colli ffor' ac unig ydi o mae'n siŵr,' medda Maldwyn.

A dyma ni'n gafael yn llaw y dyn du a mynd â fo efo ni i dŷ Elin Jên.

Pan agorodd Elin Jên y drws dyma Maldwyn yn deud:

'Newyddion da o lawenydd mawr, Miss Morris. Sbiwch pwy sydd wedi gwisgo'n ddel a dod yr holl ffordd o'r jyngl i chwilio amdanach chi. Eich gŵr chi!'

Dyma hi'n rhoi clep ar y drws a sgwasio ces y dyn du, a ddaru ni ddychryn a rhedag adra.

Chafodd neb bractis côr, a beth bynnag, doedd o ddim ots. Tydi criw ni ddim yn hoff iawn o Elin Jên achos arni hi roedd y bai na chawsom fynd i Butlins efo trip capal.

Roedd criw ni wedi pasio yn y Cwt Pow-Wow mai i Butlins oeddan ni'n mynd ond wedyn yn y capal ddaru Elin Jên sôn am fynd i Nefyn.

'Be sy yn Nefyn?' gofynnodd Jim Jo Lorri Ludw yn seiat trafod mynd am drip, ar ôl yr Ysgol Sul.

'Wel,' medda Elin Jên o'r Sêt Fawr, 'mae 'na dywod melyn yna.'

Ac am ei bod hi wedi rhoi pres i'r capal i drwsio'r peipia c'nesu ddaru nhw benderfynu mynd i Nefyn.

Roedd y criw wedi galw pow-wow reit handi wedyn a dyma pawb yn fotio, fel mae pobol yn gneud yn y *Labour Club*, i gladdu Elin Jên yn y tywod melyn ond ddaru hi ddim dŵad. A beth bynnag ddaru hi fwrw trwy'r dydd.

Mae Dad yn deud pan neith o ennill y pŵls neith o brynu'r capal a rhoi bwrdd biliards yn y festri. Ew, dyna chi syniad da! Ond fysa'n rhaid i'r blaenoriaid ddysgu sut i chwara'r gêm yn bysa?

Mae Dad yn deud eu bod nhw'n gwbod yn barod.

Ddylsa 'mod i wedi bod yn hapus iawn dydd Llun achos doedd yna ddim ysgol. Ond toeddwn i ddim. Y drwg oedd ei bod hi'n gorfod bod fel dydd Sul trwy'r dydd achos roedd hi'n Ddydd Llun Diolchgarwch.

Be oedd y pwrpas o ddiwrnod o wyliau a finna ddim yn medru dewis be i' neud efo fo? Ond dyna fo, pobol oedd yn trefnu pob dim. Dest fel pobol i drefnu rhwbath i'w siwtio nhw'u hunain.

A fel tasa gorfod mynd i'r capal pnawn dydd Llun i wasanaeth y plant ddim yn ddigon, roedd rhaid i mi fynd i gyfarfod gweddi diflas yn y bora. Roedd 'y mhen ôl i wedi marw fel bydd 'y mys i ar ôl bod yn gweu efo Miss Owen.

Yn y pnawn ro'n i'n cymryd rhan. Cydadrodd salm 'Yr Arglwydd yw fy Mugail' a chanu yn y côr. Aeth petha'n iawn yn y dechra er bod Elin Mathias Siop Papur Newydd wedi cynhyrfu. Miss Mathias sy'n ein dysgu ni adrodd achos ei bod hi'n athrawes yn yr Ysgol Sul hefyd. Ofn i betha fynd yn flêr mae hi. Dyna pam mae hi'n mynd yn ecseited, medda Mam.

Isio dyn mae hi, medda Dad. I be, wn i ddim, achos mae hi'n gneud digon o bres yn y siop, a does ganddi hi ddim gardd sydd angen ei phalu.

Roedd pawb yn deud yn iawn ond Megan Tŷ Crwn. Difetha pob dim wrth grio fel arfar. Fel 'na mae Megan Tŷ Crwn. Mae hi'n blwmin niwsans. Arni hi mae'r bai ein bod ni'n hwyr yn dod o'r ymarfer. Mae hi'n siŵr o grio ac wedyn rydan ni'n gorfod mynd drosto fo wedyn.

Mae hi'r un fath bob tro. Roedd hi'n angal Dolig dwytha ac er ei bod hi'n deud 'Llawenhewch', crio ddaru hi fel babi.

Mae hi'n crio yn 'rysgol pan mae hi'n gorfod gneud syms ar blacbord Mr Ellis. Nerfs ydi o, medda pawb, am fod ei mam yn ei gwthio hi i neud pob dim. Mae Miss Mathias yn deud y bydd hi'n iawn ar ôl arfar. Dwi'n gwbod, rhwng ysgol a chapal, bod Megan Tŷ Crwn yn trio arfar ers sbel.

Roeddan ni i gyd yn gorfod aros yn y Festri Fach cyn y gwasanaeth a Miss Mathias yn rhoi'r ffeinal ordors i bawb. Fydda i'n licio bod yn y Festri Fach. Mae 'na lun mawr o Iesu Grist a phlant bach bob oed a lliw o'i gwmpas yn gwrando ar ei storis. Ar waelod y llun mae'r geiria 'Gadewch i blant bychain ddyfod ataf i'.

Fydda i'n medru edrych ar y llun am hir iawn ac wedyn fydda i'n teimlo'n saff ac yn gynnas fel pan fydda i efo Mam a Dad.

Roeddan ni'n gorfod cerdded yn un sliwan hir o'r Festri Fach i mewn i'r capal i'r Sêt Fawr, fel leins yn 'rysgol, a'n traed ni'n neud sŵn soldiwrs yn martsio ar y leino.

Fel roedd Maldwyn yn codi'i goes i fyny'r step i'r Sêt Fawr clywsom sŵn fel cenllysg ar do sinc. Doedd yna ddim cenllysg a does yna ddim to sinc ar y capal chwaith. A be welis i'n tywallt o goes trwsus Maldwyn ond marblis.

Ew, medda fi wrthaf fi fy hun, wrth sylweddoli bod Miss Mathias wedi gweld y marblis, mi fydd Maldwyn mewn peryg rŵan. Ac mi roeddwn i'n iawn.

Ar fam Maldwyn roedd y bai ei fod o mewn helynt y diwrnod hwnnw. Roedd o wedi deud wrth ei fam fod ganddo fo dwll bach yn dechra yn ei boced ond ddaru hi ddim gwrando. Mae mama'n medru mynd fel'na weithia. Byth yn gwrando. Dwi wedi clywad Dad yn deud wrth Mam sawl tro.

'Gwranda 'nei di, Meri, cyn i ti fynd i beryg.'

A dyna fo, mi aeth Maldwyn yn do? Peth peryg iawn ydi cael lempan.

Fi gasglodd y marblis, ac mi es i â nhw i'r Festri Fach a dyna lle'r oedd Miss Mathias yn sythu'i het, a'i cheg hi ddim yn geg achos doedd ei gwefusa hi ddim i' gweld. Roedd hi wedi medru hel y ddwy i mewn i'w dannadd rywsut.

A dyna lle'r oedd Maldwyn yn sefyll â'i gefn ar y pared dan y llun o Iesu Grist a'r geiria 'Gadewch i blant bychain ddyfod ataf i' uwchben ei glust goch o.

MYND AT IESU GRIST

Doeddwn i ddim wedi gweld Maldwyn am wythnos gyfa tan ddoe. Roedd ei nain o wedi mynd at Iesu Grist. Ond i Fangor at ei Anti Ann yr aeth Maldwyn.

Roedd nain Maldwyn yn byw yn nhŷ Maldwyn nes iddi farw, ac roedd hi'n ffeind iawn efo fo. Tydi Maldwyn ddim wedi mynd i Fangor am ei fod o wedi ypsetio ac yn crio. Dyna be mae pawb yn ei feddwl, ond rydw i'n gwbod nad oedd Maldwyn yn drist achos roedd o wedi sylweddoli ers sawl pobiad nad oedd gan ei nain hir amsar ar y ddaear.

'Dach chi'n gweld, doedd ganddi'r un dant yn ei phen, ddim hyd yn oed un gosod, ac fel bydda Maldwyn yn deud: 'Be ydi pwrpas byw yn y byd 'ma 'sna sgin ti ddannadd i fyta?'

Felly roedd Maldwyn yn disgwyl iddi gicio'r bwcad unrhyw funud ers tro maith.

Ar nain Maldwyn roedd y bai iddo fo gael ei yrru i Fangor o'r ffordd, achos ei bod wedi marw ar nos Iau. Tasa hi wedi marw ar nos Wenar fysa pob dim yn iawn.

Roedd hi'n meddwl y byd o Maldwyn, a fydda hi'n arfar rhoi pres iddo fo brynu da-da bob dydd Gwenar, ond am ei bod hi wedi marw ar ddydd Iau chafodd hi ddim siawns i roi'r pres iddo fo cyn mynd at Iesu Grist.

Dyma Maldwyn yn mynd i'r siambar bach yn y cefn lle'r oedd ei nain o'n gorwedd. Isio gweld oedd o, medda fo wrthaf fi, oedd hi'n dechra tyfu adenydd i fflio i'r nefoedd. Ac mi welodd y ceiniogau ar ei llygaid, ac mi roddodd nhw yn ei bocad.

Chwara teg i Maldwyn. Sut mae pobol yn disgwyl i blant bach wbod pob dim? Petha fel bod pobol yn marw â'u llygaid nhw ar agor 'run pryd. Ond dyna fo 'te, mae'n siŵr eu bod nhw isio gweld lle ma'n nhw'n mynd. Isio gweld eu ffordd i'r nefoedd, neu i uffarn os ydyn nhw'n bobol ddrwg.

Ew, ofnadwy o beth fysa gweld eich hun yn mynd i uffarn.

Ar ôl i Maldwyn ddod adra fuon ni yn y fynwant yn gweld bedd ei nain. Doedd dim byd i'w weld, dest lot o floda ar lawr ar ben pridd, fel tasa 'na dwrch daear anfarth wedi bod yno.

Roedd y bloda'n ofnadwy o dlws. Roedd rhai yn gylchoedd crwn a rhai mewn bwnsis. Ddaru Maldwyn hel tipyn o rai melyn a thipyn o rai gwyn a mynd â nhw adra i'w fam. Hogyn ffeind ydi Maldwyn.

'Pam mae bedd dy nain di'n uchel yn yr awyr a'r lleill yn fflat?' gofynnais i Maldwyn.

Doedd o ddim yn gwbod, a dyma ni'n mynd i chwilio am Dic Torri Beddi i ni gael gofyn i rywun fysa'n gwbod yn iawn. Fe gawsom hyd iddo fo wrth y Cwt Claddu. Roedd o'n ista yn yr haul yn darllan y *Daily Herald* ac yn yfad panad o'i bisar bach.

Dyma fo'n pipian dros ymyl y papur a thros ei sbectol gam, ac medda fo yn ei lais dwfn: 'Ar ba berwyl drwg ydach chi'ch dau?'

Ew, mae gan Dic Torri Beddi lais dwfn. Pan fydd o'n gweddïo yn y seiat fydd 'y nhraed i'n chwys doman ac yn crynu yn fy sgidia. Dwi 'rioed wedi clywed Duw yn siarad ond dwi'n siŵr mai llais fel'na fysa ganddo fo. Yn ddwfn ac yn gry ac yn dywyll fel y pwll sydd wrth ymyl dorau Cob Crwn.

'Wedi bod yn chwara 'dan ni,' medda finna.

'Does 'na neb i chi chwara efo nhw'n fan'ma,' medda fo. 'Mae pawb sy'n fan'ma wedi marw.'

'Isio gwbod rydan ni,' medda Maldwyn, 'pam mae bedd Nain yn uwch na'r lleill.'

'Be haru ti'r gwalch,' medda Dic gan ysgwyd ei bapur

a sefyll i fyny. 'Wyt ti'n trio deud nad ydw i wedi claddu dy nain yn iawn?'

Ew, ro'n i isio mynd adra. A dwi'n gwbod bod Maldwyn isio hefyd achos roedd y bloda roedd o'n eu cuddio y tu ôl i'w gefn yn dechra ysgwyd. Wedyn dyma Dic yn gwenu a dechra chwerthin, ac roeddwn i'n gwbod bod pob dim yn iawn.

'Yli di, Maldwyn bach,' medda fo a dechra llenwi'i biball, 'mae hi'n cymryd amsar hir i fynd i'r nefoedd. Pan fydd dy nain wedi mynd, fydd 'na le gwag ar ei hôl hi. Felly, dwi bob amsar yn rhoi digon o bridd i gymryd lle'r corff ar ôl iddo ymadael. Wedyn fydd pob man yn fflat ddel. Taswn i ddim yn gneud hynna mi fysa'r fynwant 'ma fel waran Penmownt yn dylla cwningod i gyd.'

Ac erbyn meddwl roedd hynny'n gneud sens. Ddaru ni ddeud diolch yn fawr, ac fel roeddan ni'n mynd dyma Dic yn galw: 'Dowch i mewn i'r cwt ac mi ro' i dipyn o bapur i chi rownd y bloda 'na.'

Wel am sioc gawson ni. Roeddan ni'n meddwl mai lle i gadw rhaw a berfa oedd y cwt claddu ond roedd o fel cegin bron: bwrdd bach dan y ffenast a chadair esmwyth yn y gornel bella a stôf baraffîn a theciall a llestri ar y bwrdd. Dyma Dic yn deud mai yn fan'no, yn y cwt, yr oedd pobol yn cael eu panad ola ar y ddaear cyn mynd i'r nefoedd.

Sgwn i aiff nain Maldwyn yno am banad cyn mynd at Iesu Grist?

Mwy na thebyg! Roedd hi'n un sgit am ei phanad bob amsar, a fydd hi ddim angen dannadd i yfad panad o de yn na fydd?

Noson dda i ddim i hel petha at Gei Ffôcs oedd heno.

Roedd y criw i fod i fynd i hel briga i'r Coed Nyrseri yn syth o'r ysgol ond mae hi wedi 'styllio bwrw ers canol pnawn. Roedd Maldwyn a fi'n siŵr y bysa hi'n glawio cyn nos achos welson ni'r gwylanod yn hedfan am wastad y Traeth Mawr amsar cinio.

Rydan ni wedi hel lot o betha'n barod: teiars a thiwbia o garej Charles Huws, hen wely plu a chomôd nain Maldwyn, bocsys o Siop Emporium a'r Coparét, a phosteri a thaflenni gymanfa wedi mynd yn rwts-mi-rats yn y peiriant printio gan Lloyd y printar.

Rydan ni wedi'u cuddio nhw i gyd yn y Cwt Pow-Wow ar Ochr Cyt neu mi fydd Gang Tan Graig wedi dŵad a'u llosgi nhw fel ddaru nhw'r llynedd. Dyna chi le! Ew, hen gnafon oeddan nhw.

Ddaru ni basio yn y pow-wow pnawn Sadwrn na fyddan ni ddim yn rhoi'r tanwydd allan yn goelcerth tan noson cyn Gei Ffôcs, ac mae Maldwyn ac Emlyn Parc am fod yn sentris i wylio rhag ofn i Gang Tan Graig ddŵad yn slei fel llwynogod. Mae Maldwyn am wisgo côt Rarmi ei dad ac Emlyn Parc am fenthyca dillad hel mecryll ei Yncl Jo. Mi fydd y sowestar yn handi os gneith hi ddal i fwrw.

Mae Dad am neud y Gei ac mae o wedi deud os na chaiff o amsar mae o am ofyn i Seilas Wilias ista ar y top ar gomôd nain Maldwyn. Ew, mae Dad yn ges!

Gynnon ni, Criw Ochr Cyt, fydd y goelcerth fwya yn Port 'leni, dwi'n siŵr.

Mi fydd pawb o'r criw wedi gneud rwdan gannwyll, ac mi fydd ffeiarwyrcs o floda tân yn clecian ym mhob man. Dest sbarclars dwi'n gael, medda Mam. Mae Maldwyn am hel ei bres i brynu bangars, medda fo, a'u lluchio nhw i domen dail Mr Prydderch y Sgŵl.

Mi fydd rhai o'r plant mawr sy'n mynd i'r Cownti Sgŵl wedi'u gwisgo fel tramps a gwrachod ac mi fyddan nhw'n dawnsio'n gylch ac yn canu o gwmpas y bonffeiar.

Ew, mi fydd 'na hen weiddi a sgrechian a hwyl! Mae'n siŵr y bydd Megan Tŷ Crwn yn crio a Dilys Felin yn deud bod ei rwdan hi'n well nag un neb arall. Fydd Lynwen Frazer ddim yno achos mi fydd hi'n gwylio bonffeiar preifat efo hen bobol y tu ôl i'r Masonic Hall. Dwi'n gwbod na cheith hi ddim hwyl fel ni.

Mae Mam a mam Maldwyn am ddŵad i gadw llygad ar betha meddan nhw. Hen niwsans! Ond dyna fo, mae'n debyg y cawn ni fynd i siop Clifford i nôl tsips wedyn, ac am y bydd hi'n nos Wenar mae 'na siawns y cawn ni sgolops hefyd.

Mae 'na dân mawr yn y grât yn tŷ ni heno hefyd. Mae'r fflamau fel tafodau bleiddiaid yn llyfu gwddw du'r simdda. Mae Mam yn trwsio côt GWR Dad, ac mae Dad druan bach yn neud hen syms. Bob dim yn mynd i lawr yn y llyfr cas calad coch. Ew, mae o'n llyfr neis a phapur patrwm fel tonnau'r môr yn leinin y tu mewn i'r cas.

Rydan ni'n mynd i neud panad yn y munud. Mae Mam yn cael rest, ond mae Dad am neud y te a finna am neud y tôst. Noson *joint effort* fydd Dad yn ddeud pan mae pawb yn helpu, ond ddwedis i wrth Dad nad oedd hi ddim yn noson felly achos bod Mam yn restio. Ond mae Dad yn deud ei bod hi achos Mam ddaru neud y jam mwyar duon rydan ni am roi ar y tôst ar ôl ei grasu o o flaen y sundars coch. Mae Dad yn iawn fel arfar.

Fydd o fel parti bach o flaen y tân.

Dwi'n mynd i barti go-iawn dydd Sadwrn. Mae Maldwyn yn dathlu'i ben blwydd. Rydw i wedi gneud bag marblis yn bresant iddo fo. Mae Mam wedi'i roi o dan y peiriant gwnïo i'w neud o'n gry yn lle'i fod o'n torri a marblis yn mynd ar hyd y lloria, ac rydw inna wedi gneud pwytha bach twt arno fo gynna. Rydw i wedi gwnïo M am Maldwyn arno fo.

Fydd o wrth ei fodd.

Ew, mae hi'n braf wrth y tân yn fan'ma. Tydi Dad ddim isio mynd allan efo'r hen injans 'na heno. Tydi hi'n braf bod yn saff ac yn glyd a phawb yn y tŷ. Mae'n siŵr mai lle fel hyn ydi'r nefoedd. Dwi byth am fynd i ffwrdd.

Dwi'n mynd i fyw efo Mam a Dad yn oes oesoedd, Amen.